UITGELEGD AAN JONGEREN

Michel Wieviorka

HET
ANTISEMITISME
UITGELEGD AAN JONGEREN

Vertaald door Ton Zwaan

 2014 DE BEZIGE BIJ AMSTERDAM

Gepubliceerd met steun van het Franse Ministerie van Buitenlandse Zaken, het Institut français des Pays-Bas/Maison Descartes en BNP Paribas.

www.debezigebij.nl

*Met dank aan Séverine Nikel en mijn zuster
Annette, die de wording van dit boek van het
begin tot het einde hebben meegemaakt.*

Inhoud

'Vuile Jood!' De belediging was de beste vriend van Lise toegesist bij de uitgang van het lyceum en had hem diep gekwetst. Eenmaal thuis had ze, geheel van haar stuk gebracht, het voorval aan haar ouders verteld. Omdat ik onderzoek had gedaan naar dergelijke kwesties, werd overeengekomen dat ik haar zou uitleggen wat antisemitisme is. Vandaar deze serie gesprekken.

Het antisemitisme is een vorm van racisme

Wat is nu eigenlijk precies antisemitisme? Kun je er een definitie van geven?

Laten we om te beginnen zeggen dat het de haat is tegen een menselijke groep die voor een ras wordt aangezien, de Joden. Als je wilt, kunnen we dat antwoord gaandeweg nader preciseren tijdens onze gesprekken. Maar wees je er van meet af aan van bewust dat die haat ons geen informatie verschaft over degenen die Jood zijn, maar over degenen die antisemiet zijn.

Vormen de Joden dan een ras?

Het idee van rassen is op zichzelf onjuist: alle mannen en alle vrouwen behoren tot één enkele soort, de menselijke soort. Voor een geneticus heeft het idee van ras geen betekenis. Als er in jouw klas een groep leerlingen zit met een zwarte huidskleur en een groep met een witte huidskleur, is de genetische afstand tussen twee leerlingen binnen elke groep ongeveer net zo groot als de genetische afstand tussen beide groepen.

Mensen die over rassen praten, willen een hiërarchie aanbrengen of rechtvaardigen die gebaseerd is op fysieke of biologische kenmerken, zoals huidskleur of ver-schillen in hoofdhaar. Zulke verschillen verbinden ze met vermeende verschillen in kwaliteiten en in morele en intellectuele gebreken om te kunnen beweren dat er inferieure en superieure rassen bestaan. Daar trekken ze vervolgens de conclusie uit dat het gerechtvaardigd is dat een bepaalde groep mensen andere groepen kan domineren, slecht kan behandelen, buitensluiten, uit-buiten of zelfs ombrengen. Het zijn racisten.

Zeggen dat de Joden een ras zijn, is op zichzelf een vorm van racisme. En dat racisme heeft een naam: anti-semitisme. Het is een bijzondere vorm van racisme, die zijn oorsprong vindt in een vijandschap die al tweedui-zend jaar steeds opnieuw terugkeert en die van de Joden een minderheid heeft gemaakt die vaak vervolgd is.

Waarom bestaat die vijandschap ten opzichte van de Joden?

Dat is precies waar we het over moeten hebben! De vij-andschap tegenover de Joden, die overal (behalve in het huidige Israël) een minderheid vormen, komt in alle perioden van de geschiedenis voor. Ze steekt vooral de kop op in tijden van maatschappelijke onrust, tijdens economische en sociale crises, en kan met politieke be-doelingen gemanipuleerd worden om de onvrede van bevolkingsgroepen af te wentelen op zondebokken.

***Je hebt gezegd dat antisemitisme een vorm van racisme
is. Maar heeft racisme niet eerder betrekking op
Zwarten, op Arabieren en op Aziaten?***

Je hebt gelijk, het moderne racisme, dat vooral ontstaan
is in de negentiende eeuw, behelsde het streven om het
idee van rassen wetenschappelijk te funderen. Het heeft
gediend om de koloniale expansie te rechtvaardigen en
vele groepen mensen in de hele wereld te minachten
en te overheersen. In allerhande geschriften is betoogd
dat raciale hiërarchieën gebaseerd konden worden op
schijnbaar strenge criteria, zoals de schedelvorm, het
huidpigment, enzovoorts. Al die inspanningen om tot
classificatie van rassen te komen, hadden bovenal tot
doel om de superioriteit van blanke en Westerse mensen
aan te tonen.

Joden hadden niet vaak een plaats binnen die clas-
sificaties. Het tegen hen gerichte racisme is speciaal en
uitzonderlijk, het is gebaseerd op de tegenstelling tussen 'Ariërs' en 'Semieten'.

Wat is een 'Semiet'?
Om die woorden te kunnen begrijpen en om te snappen
waarom van 'antisemitisme' wordt gesproken, moeten
we een klein uitstapje maken naar de filologie, de wetenschappelijke discipline die talen en hun oorsprong
bestudeert. In de loop van de negentiende eeuw begonnen geleerden het idee te ontwikkelen dat er in het verleden aan de ene kant ooit Semitische talen en Semitische volkeren (inclusief de Joden en de Arabieren) zijn

geweest, van wie het oorspronkelijke woongebied in het Oosten zou hebben gelegen, en aan de andere kant Arische talen en volkeren hebben bestaan, die de voorouders van de Europeanen waren. Die hele eeuw is een levendig debat gevoerd over de vraag waar die 'Semitische' talen vandaan kwamen en hoe ze zich in verscheidenheid hadden ontwikkeld in verschillende gebieden. Of er werd geprobeerd te laten zien hoe ze tegengesteld waren aan andere taalfamilies, vooral aan de 'Arische'. Degenen die het idee van een Arische oorsprong van de Europese volkeren verdedigden, stelden hen tegenover de Semieten. In discussies die voor wetenschappelijk moesten doorgaan, betitelden sommige geleerden zichzelf als 'antisemieten'.

Laat ik hieraan toevoegen dat het woord 'Semiet' aan het eind van de achttiende eeuw is uitgevonden als verwijzing naar Sem, de zoon van Noach, en diens nageslacht. We zitten dan midden in de Bijbel!

Wil je zeggen dat antisemiet zijn oorspronkelijk betekende dat men niet alleen tegen de Joden was, maar ook tegen de Arabieren?

Dat wil het woord in theorie zeggen, ja. Maar het was amper uitgevonden en gangbaar geworden of het werd niet meer gebruikt voor Arabieren, maar uitsluitend met betrekking tot Joden. Het is heel opmerkelijk dat de term, eenmaal gelanceerd, wereldwijd een overweldigend succes heeft gekend. Het woord kwam voor het eerst voor in het wetenschappelijke debat in 1860 en werd in 1879 gepopulariseerd door een Duitse publicist, Wilhelm Marr. Binnen twee of drie jaar werd de term overal in Europa gebruikt ter aanduiding van racistische vijandschap jegens Joden.

Het moderne antisemitisme behoort ideologisch tot het denken in termen van rassen. Antisemieten, zoals de Franse journalist Édouard Drumont, beschrijven Joden als van nature kwaadaardig, toegerust met bedenkelijke intellectuele en morele trekken – ze zouden bijvoorbeeld hebzuchtig zijn – maar met fysieke kenmerken die hen zouden onderscheiden van anderen. De beschrijvingen werden gaandeweg nauwkeuriger: ze zouden altijd een kromme neus hebben, een mond met dikke lippen of tenminste geen bijzonder dunne lippen, enzovoorts. Hun neiging tot winstbejag zou ook te zien zijn aan hun handen en aan hun lichaamshouding. Die kenmerken zouden oertrekken zijn en erfelijk worden doorgegeven.

Je vindt zulke beschrijvingen ook terug in de tijd van het nationaalsocialisme. Ik zal je er een berucht voorbeeld van geven, afkomstig van een tentoonstelling die in 1941 tijdens de Duitse bezetting in Parijs werd georganiseerd onder de titel 'De Jood en Frankrijk'. Ziehier wat *L'Illustration*, een blad uit die tijd, erover schreef:

'In een zaal zijn onderdelen te vinden van een morfologische studie van joden. Op een enorm hoofd, dat het klassieke type van een joods hoofd weergeeft, zijn cijfers aangebracht die verwijzen naar genummerde bordjes met teksten. 1) Grote oren, grof en afstaand. 2) Vlezige mond, dikke lippen, vooruitstekende onderlip.

3) Sterk gebogen neus, slap en met wijde neusvleugels. 4) Plooien rond neus en mond. 5) Weke trekken...'

Het is een zuiver voorbeeld van een haatzaaiende tekst.

Maar kun je een Jood ook in werkelijkheid herkennen?

Helemaal niet. Onder Joden zijn er allerlei fysieke typen: met een lichte huid en blond of rossig haar in Polen of Denemarken, met een donkere huid in Ethiopië of Jemen. In de Arabische wereld, voor zover er nog Joden leven, kun je ze op geen enkele manier fysiek onderscheiden van hun christelijke of islamitische buren. Behalve aan hun religieuze rituelen, traditionele kledij of culturele gewoonten, zoals het dragen van een onderscheidend teken door degenen die hun Joodse identiteit willen benadrukken (een Davidsster bijvoorbeeld), of het dragen van een verplicht teken, zoals de gele ster die de nazi's oplegden aan hen die zij als Joden beschouwden, kun je Joden niet als zodanig herkennen.

En als men meent een 'Semitisch type' te zien of een 'joodse neus', dan plakt men in feite antisemitische karikaturen op de werkelijkheid.

Men heeft het vaak over 'het Joodse volk'. Als Joden geen ras zijn, vormen ze dan misschien een volk?

Volgens de Bijbel maakt hun religie van Joden een 'uitverkoren volk' van God. In dit verband heeft het woord 'volk' een religieuze betekenis, het omvat al degenen die het judaïsme als religie hebben. De Joden zijn als volk in het jaar 66 na Christus, in Judea in opstand gekomen tegen de Romeinse overheersing. Die opstand heeft vier jaar geduurd en is uitgelopen op een mislukking. De Romeinse overwinning werd in het jaar 70 bezegeld met het in brand steken en verwoesten van de Tempel in Jeruzalem. Alleen een deel van de westelijke muur is overgebleven, de zogeheten 'Klaagmuur', waar je vast wel eens van gehoord hebt. Het is een plaats om te bidden, een getuigenis van het verleden, en een symbool van de Joodse identiteit van Jeruzalem. De gewelddadige onderdrukking van de opstand heeft geleid tot een massale uittocht, de diaspora. Dat wil zeggen, de verstrooiing van de Joden over heel Europa en het Midden-Oosten, waar hun vestiging destijds samenviel met de verspreiding van het christendom. Velen van hen wilden zich deel blijven voelen van een volk. Een volk, dat is het gevoel tot een bepaalde menselijke groep te behoren, deel te hebben aan een cultuur, een geschiedenis, gemeenschappelijke tradities (denk aan religie, voeding, kledij, kunst, et cetera), soms ook aan een taal. Het omvat dat allemaal, maar het is geen gemeenschappelijke genetische erfenis.

Tegenwoordig zijn er verschillende manieren om zich Joods te voelen, of Joodsheid, het feit van het Joodszijn, te definiëren. Men kan Joods zijn in religieuze zin, een aanhanger van het judaïsme of het Joodse geloof. Er bestaan ook atheïstische of agnostische Joden, die er niet voor voelen zich met een religie te identificeren, maar die zich niettemin deel voelen van het Joodse volk.

Ten slotte zijn er talloze mensen die geen band meer onderhouden met een verleden waarin voorouders de Joodse religie waren toegedaan of zich deel voelden van het Joodse volk. Ze zijn opgehouden Joods te zijn. Hun voorouders hebben zich bijvoorbeeld bekeerd tot de islam of het katholicisme, of welke andere religie dan ook. Dat weerhoudt de antisemieten er overigens niet van ze toch 'Joods' te noemen, in de racistische zin die ze aan dat woord hebben gegeven. Dat is het geval geweest onder het nationaalsocialisme, toen mannen en vrouwen die geen enkele band hadden met een Joodse identiteit toch als Joden werden vermoord.

Kijk nu even hoe ik het woord 'jood' schrijf. Ik schrijf een hoofdletter, de 'Joden', als ik het geheel van mannen en vrouwen wil aanduiden die behoren tot een volk. Je schrijft in onze taal op dezelfde manier over de Japanners of de Fransen. Om degenen aan te duiden die zichzelf rekenen tot een religie, schrijf ik 'joden' met een kleine letter, op dezelfde manier waarop je over 'katholieken' of 'islamieten' zou schrijven.*

En Israël, is dat de staat van de Joden?

Een heel kleine Joodse bevolking was in het gebied achtergebleven na het mislukken van de opstand tegen de Romeinen. En voor de stichting van de staat Israël, in

---

* Noot van de vertaler: binnen de Franse spellingsregels is dit onderscheid in hoofdletters en kleine letters betrekkelijk gemakkelijk door te voeren, binnen de Nederlandse spelling niet. Daarom is hierna gekozen voor het gebruik van hoofdletters.

1948, was er een beweging, geïnspireerd door het zogeheten zionisme, die ernaar streefde dat Joden de toe-
komstige staat zouden gaan bevolken. Toen de onafhankelijkheid werd uitgeroepen, hebben velen zich er ook
gevestigd. In hun geval gaat het Joods-zijn samen met
de Israëlische nationaliteit. Maar heel veel Joden leven
buiten Israël, 'in de diaspora', zoals vaak gezegd wordt.
Ze zijn Frans, Amerikaans, Brits of Italiaans, en in enkele honderden gevallen zelfs Chinees of Japans.

Er leven tegenwoordig ongeveer zes miljoen Joden in
Israël en bijna acht miljoen in de diaspora.

Het zal je misschien verbazen, maar je kunt zelfs zeggen dat sommige Joden zionisten zijn en andere anti-
zionisten.

Zionistisch en antizionistisch, wat betekent dat precies?
Ik dacht dat 'zionist' een synoniem was voor 'Jood'!
Antisemieten gebruiken tegenwoordig die woorden
vaak alsof ze hetzelfde betekenen. Aan het eind van
de negentiende eeuw, toen het idee van de natie-staat
alom opgang maakte, heeft Theodor Herzl zich ervoor
ingezet dat de Joden een eigen staat zouden krijgen: dat
is het zionisme genoemd. Het woord komt van 'Zion',
dat in de Bijbel Jeruzalem betekent, en het religieuze of
culturele idee dat de Joden op een dag daarnaar moesten terugkeren, bestond al lange tijd in de Joodse gemeenschappen.

Maar in dezelfde tijd hebben anderen zich juist ge-
keerd tegen het idee dat er zo'n staat zou moeten ko-

men. Zij waren van mening dat Joden te midden van andere volken moesten leven en zich met hen moesten mengen. Die oppositie tegen het zionistische project heeft het ontstaan van het woord 'antizionisme' met zich meegebracht. Overigens was het aanvankelijk een interne kwestie binnen de Joodse wereld. Vandaag de dag kun je Joden tegenkomen die gereserveerd of zelfs vijandig staan tegenover de staat Israël.

Voor het moderne antisemitisme: het anti-judaïsme

*Je hebt het erover gehad dat er gedurende de geschiede-
nis van de afgelopen tweeduizend jaar vijandschap
tegenover Joden heeft bestaan. Waar komt die vijandschap vandaan?*
Het was geen racistische vijandigheid, maar een religieuze, die zich richtte tegen de Joodse religie en tegen de
Joden als aanhangers van die religie. Het anti-judaïsme
is een sentiment geweest dat in alle tijden wijdverbreid
was in de christelijke wereld.

*Maar waarom? Joden en christenen hadden toch de
Bijbel gemeenschappelijk?*
Zeker! Als je een Bijbel erbij pakt, kun je dat gemakkelijk
vaststellen. Het Oude Testament behelst een verleden
dat alle Joden en christenen gemeenschappelijk hebben. Vergeet ook niet dat Jezus Joods was voordat hij
de religie stichtte, die men 'het christendom' heeft genoemd! De eerste christenen zijn Joden die Jezus erkennen als afgezant van God op aarde, als de 'Messias'.

Jezus is Joods, maar hij belichaamt al snel een nieuwe religie, die ook monotheïstisch is en veel te danken

heeft aan de Joodse religie, maar zich er ook van onderscheidt en van losmaakt. Is Jezus de zoon van God? Is hij de Messias die al zo lang verwacht werd en die, met zijn discipelen, de komst van het Koninkrijk Gods aankondigt? Een deel van de toenmalige Joden erkent hem als zodanig en wordt christelijk. Anderen zien hem als een valse profeet en keren zich tegen het christendom. Jezus is gekruisigd en zijn kruis droeg het opschrift 'Koning der Joden'. Het was de uitkomst van een proces waarin de vijandigheid van de gevestigde Joodse autoriteiten van destijds tot uitdrukking kwam en ook de politieke vijandschap van de Romeinse bezettende macht.

Hebben de Joden Jezus vermoord?

Het waren Joodse religieuze hoogwaardigheidsbekleders die Jezus lieten arresteren en het gerechtshof oprichtten dat hem veroordeelde. Maar het was de Romeinse prefect, Pontius Pilatus, die hem veroordeelde tot kruisiging.

In elk geval hebben de christenen vanaf die tijd het idee ontwikkeld dat de Joden schuldig zijn aan de dood van Jezus, of in elk geval schuld hebben omdat ze daaraan hebben bijgedragen. In de boezem van de Kerk leert men christenen in het religieuze onderwijs dat de Joden een 'volk van godsmoordenaars' zijn, een volk dat God heeft gedood. In preken wordt dat gedurig herhaald. Zo verspreidt zich door de eeuwen heen het idee dat dat volk gehaat moet worden, dat het vernederd moet worden. Zulke gedachten hebben een zwaar stempel gedrukt op het hele christendom tot aan de jaren zestig van de twintigste eeuw. Een Franse historicus, Jules Isaac, heeft dat halverwege die eeuw aangeduid als onderwijs in 'de leer van de minachting'.

Er zijn dus twee hoofdbronnen van wat je dan nog geen antisemitisme kunt noemen, maar wel anti-judaisme. Aan de ene kant – en voor alles – het verwijt dat de Joden Jezus niet erkend hebben en weigeren te behoren tot het christendom. Die weerstand, die weigering om hun geloof af te zweren en zich te bekeren, is een kenmerkend fenomeen dat vijandschap opwekt. Aan de andere kant de beschuldiging een misdadig volk te zijn van 'godsmoordenaars'.

De eerste bronnen van een gestructureerde, bedachte en getheoretiseerde haat tegen Joden stammen dus uit de oorsprong en het verschijnen van het christendom.

Was de vijandschap tegenover Joden sterk in het christelijke Europa van de Middeleeuwen?

In de Middeleeuwen leefden Joodse minderheden overal in Europa te midden van christenen, tot in Rusland aan toe. De Joden vormden destijds vele levendige gemeenschappen. Ze zijn vaak ook doorgegaan met zich te verplaatsen, soms om economische activiteiten te ontwikkelen daar waar dat mogelijk was, soms ook omdat ze werden uitgewezen uit een stad of een land. Ze oefenden allerlei beroepen uit.

Gedurende de hele Middeleeuwen zijn er tijden en

plaatsen geweest die voor hen tamelijk gunstig waren. De tijd dat het Iberisch schiereiland islamitisch was, aan het einde van het eerste millennium na Christus en aan het begin van het volgende, wordt over het algemeen beschreven als een gouden eeuw voor het Joodse culturele en economische leven. Polen in de zestiende eeuw is in de Joodse herinnering ook bewaard gebleven als een mondiaal centrum van actief en welvarend Joods leven. In andere tijden en op andere plaatsen konden de discriminatie en het geweld aanzienlijk zijn en uitlopen op verdrijving en massamoord.

Bepaalde steden en buurten waren voor Joden verboden. Ze konden ook verplicht worden in één bepaalde buurt of straat te wonen. Als je op Google kijkt, zul je zien dat honderden straten in Frankrijk sporen dragen van dat verleden: ze heten 'straat van het Jodendom' of 'Jodenstraat'. Vanaf de zestiende eeuw werden getto's gesticht – aparte buurten voor Joden, soms door muren omgeven – het eerste getto werd gevormd in Venetië.

De Joden hadden ook niet het recht lid te worden van de gilden, ze werden uitgesloten van bepaalde beroepen. Daardoor werden hun economische activiteiten ook beperkt tot bepaalde andere beroepen, bijvoorbeeld beroepen die met geld te maken hadden (in het bijzonder het uitlenen van geld tegen rente, wat aan christenen verboden was). Soms werden ze verplicht een onderscheidend merkteken te dragen – een traditie die weer ingevoerd is onder de nazi's, die het dragen van de gele ster verplicht stelden.

De mengeling van tegen hen gerichte minachting, haat en vooroordelen loopt soms uit op verschrikkelijke gewelddadigheden. Synagogen worden verwoest. De eigendommen van Joden worden hen afgenomen, ze worden het slachtoffer van massamoorden. Ze worden door koning Edward I in 1290 uit Engeland verdreven. In Frankrijk gebeurt dat bij herhaling, in het bijzonder door Lodewijk de Heilige in 1254, door Filips de Schone in 1312, en uiteindelijk door Karel VI in 1394. Ze worden uit Oostenrijk verdreven in 1421, nog voor de beruchte verdrijving van het Iberisch schiereiland in 1492.

De Joden werden ook gebruikt als object om zich op af te reageren. Ten tijde van de kruistochten – toen legers naar Jeruzalem trokken om het graf van Jezus te bevrijden, dat in handen van de 'ongelovigen', dat wil zeggen de islamieten, was gevallen – gaven de kruisvaarders zich over aan massamoorden. Ze vermoordden de Joden die ze op hun weg tegenkwamen.

Joden werden gedood op basis van geruchten, zelfs wanneer datgene wat hun verweten werd, niet waar was.

Waarvan beschuldigde men hen?
Van tijd tot tijd werden ze beschuldigd van de ergste wandaden. Altijd dezelfde: bijvoorbeeld dat ze een christelijk kind hadden gedood om gebruik te kunnen maken van diens bloed, dat ze een pact hadden gesloten met de Duivel, dat ze waterputten van christenen vergiftigden, en, daarbij aanknopend, dat ze epidemieën veroorzaak-

ten. De beschuldigingen waren soms erg precies: men vertelde dat ze christelijke kinderen vermoordden in de tijd van het Joodse Pasen en hun bloed gebruikten om de ongedesemde broden te bakken die ze in die tijd aten. Die beschuldiging van 'rituele moord' is tot in de twintigste eeuw in Centraal Europa en het Midden-Oosten blijven bestaan.

Toen de pest – de Zwarte Dood – Europa tussen 1347 en 1350 teisterde, verspreidde zich, net zo snel als de epidemie zelf, het gerucht dat de Joden de lucht en het water hadden vergiftigd. Duizenden van hen werden op grond van die verdachtmaking vermoord, in Straatsburg, Colmar, Frankfurt en tal van andere steden.

In bepaalde gevallen kun je spreken van grootschalige massamoorden. De meest beruchte werden halverwege de zeventiende eeuw gepleegd door de Kozakken van Khmelnystsky in de Oekraïne – historici schatten dat in twee jaar tijd omstreeks 100.000 Joden werden gedood.

De haat tegen de Joden is niet zomaar een mening of een houding, maar ligt ten grondslag aan praktijken van daadwerkelijke uitsluiting, discriminatie, segregatie en geweld. Zelfs voordat je van antisemitisme in de eigenlijke zin van dat woord kunt spreken, nam die haat al criminele vormen aan.

Weet je zeker dat de Joden geen enkel aandeel hebben gehad in datgene wat hen is overkomen?
Absoluut. Joden hebben nooit een kind gedood om zich te laven aan zijn bloed, ze hebben nooit rituele moor-

den gepleegd of waterputten vergiftigd, ze hebben nooit satanische activiteiten ontplooid. Maar de krachtige uitwerking van die kwaadaardige geruchten was des te sterker omdat ze konden steunen op het christelijke onderwijs, dat de haat voor het volk van 'godsmoorde-naars' wijd en zijd had verspreid.

Men heeft het altijd over de relatie van Joden met geld. Men zegt dat ze vroeger woekeraars waren.

Er zijn zeker Joden geweest die er woekerpraktijken op nahielden, dat wil zeggen leningen verstrekten tegen zeer hoge rente. Maar dat is niet omdat dat in hun genen zat! Het had ermee te maken dat sommigen van hen in de richting van zulke beroepen werden gedreven. Ze werden daarbinnen toegelaten en verleenden belang-rijke diensten aan politieke machthebbers en trouwens ook aan gewone christenen. Ze hebben daardoor be-paalde kennis en vaardigheden ontwikkeld, een zekere knowhow. Er zijn ook heel rijke Joden geweest, bankiers, die bijvoorbeeld geld uitleenden aan de groten der aar-de. Maar dat wil niet zeggen dat ze een onlesbare dorst naar geld hadden, dat ze nergens anders aan dachten dan aan geld.

En in overgrote meerderheid zijn de Joden, geduren-de die hele lange tijd waar we het nu over hebben, arme mensen geweest of hadden ze heel bescheiden bestaans-middelen, die niets te maken hadden met beroepen in de sfeer van kredieten en financiën. Maar men is ze al zeer vroeg gaan verwijten dat ze altijd uit waren op geld.

Waarom wordt niet gesproken van antisemitisme in de Middeleeuwen?

Dat zou een anachronisme zijn. Dat wil zeggen, dat het erop neer zou komen dat je het verleden zou beschrijven met woorden die pas veel later zijn ontstaan om betekenis te geven aan andere verschijnselen in een heel andere context. Over het algemeen houden historici ons voor dat we dat type fouten moeten vermijden.

Tot het einde van de Middeleeuwen ontbrak het idee van een ras in de preken en de gebedenboeken van de christenen. Pas in de vijftiende eeuw komt dat idee voor het eerst in Europa naar voren, in het bijzonder in Spanje (en Portugal), nadat de politieke machten de Joden in 1492 uit die landen hadden verdreven. Die machten, die uitdrukkelijk christelijk wilden zijn, waren er niet alleen op uit de Joden te verdrijven uit de gebieden die ze beheersten, maar wilden er ook zeker van zijn dat degenen die zich tot het christendom hadden bekeerd om in Spanje en Portugal te kunnen blijven, geen 'valse bekeerlingen' waren. Omdat je niet kunt weten wat mensen doen als ze thuis zijn en niemand ze in de gaten kan houden, werden zogeheten statuten over 'de zuiverheid van het bloed' uitgevaardigd. Wie wilde trouwen, of toegang tot bepaalde beroepen wilde krijgen of een officieel ambt wilde bekleden, moest kunnen bewijzen dat hij in de voorgaande vijf generaties geen Joodse voorouders had en dus 'zuiver bloed' had, niet Joods.

De uitvinders van het Joodse 'ras' zijn dus allereerst de toenmalige Spaanse en Portugese politieke machthebbers en de religieuze autoriteiten op wie ze steunen. Ze richtten de Inquisitie op, die zich van alle mogelijke middelen bediende, inclusief foltering, om degenen die ze ervan verdachten 'Joods bloed' te hebben, tot een bekentenis te dwingen. De Inquisitie blijft gedurende bijna drie eeuwen actief, niet alleen op het Iberisch schiereiland, maar ook in de Spaanse en Portugese koloniën, in het bijzonder in heel Latijns-Amerika. In die context wordt het anti-judaïsme een racisme avant la lettre.

Maar elders, in gebieden waar die obsessie met de zuiverheid van het bloed niet bestond, blijft het zinvol van 'anti-judaïsme' te spreken tot in de negentiende eeuw, en niet van antisemitisme. Want daar konden de Joden ophouden Joods te zijn door zich tot het christendom te bekeren. Hun identiteit werd niet als een natuurlijk gegeven beschouwd, als vastgelegd in hun biologische, fysieke bestaan.

Je hebt over het christendom gesproken. Omvat dat ook de protestantse en de orthodoxe kerken?
Op dit punt is er geen enkel verschil. Je vindt haatzaaiende geschriften tegen de Joden in alle varianten van het christendom, niet alleen binnen het katholicisme. De nazi's konden bijvoorbeeld inspiratie putten uit geschriften van Maarten Luther, een van de grondleggers van het protestantisme in de zestiende eeuw, die zich herhaaldelijk zeer vijandig heeft uitgelaten over de Joden. En Johannes Calvijn, de andere grote figuur van

het vroege protestantisme, heeft in dezelfde tijd zeer haatdragend tegen de Joden geschreven.

In die geschriften tref je steeds weer het kernthema aan van het volk van godsmoordenaars en ook de woede die teweeggebracht wordt doordat ze vasthouden aan hun eigen geloof – men schrijft soms dat de Joden 'harde nekken' hebben.

Die haat vormt een complex geheel. Het christelijke thema van de godsmoordenaars gaat steeds gepaard met een ander idee, namelijk dat van de Joden als een kwaadwillend volk, dat een speciale relatie heeft met de Duivel en dat de oorzaak is van al het mogelijke ongeluk dat een bevolking kan treffen – zoals hongersnood, armoede, natuurrampen. Gedurende lange tijd heeft die voorstelling van zaken overal waar een Joodse minderheid bestond, die zich onderscheidde door haar eigen religie, de ergste wandaden gelegitimeerd. Veelal onder regie van de politieke machthebbers in samenwerking met christelijke religieuze autoriteiten.

Bestond er geen anti-judaïsme onder islamieten?
Mohammed is Jezus niet en de plaats van de Joden in de geschiedenis van het ontstaan van de islam heeft niets te maken met de plaats die de Joden binnen het christendom hebben ingenomen. De islam heeft een tweeslachtige houding aangenomen ten opzichte van de volken van het Boek, de christenen en de Joden, een houding die zowel beschermend als discriminerend is. De christenen en de Joden worden enerzijds beschouwd

als 'dhimmi', wat 'beschermden' betekent. Ze worden dus in principe beschermd door de gevestigde machten, maar ze zijn anderzijds ook verplicht speciale belastingen te betalen en kledij te dragen die hen onderscheidt van islamieten.

De religieuze vijandschap die verbonden is met het thema van de 'godsmoordenaars' bestaat niet in de islamitische wereld. Maar de Joden weigeren de leer van de profeet te aanvaarden en vormen aparte gemeenschappen. Hun verwerping van het 'ware geloof' heeft soms tot soortgelijke haat en gewelddadigheden geleid als in Europa.

Zijn de Joden dan altijd en overal vervolgd?

Minderheden zijn ongelukkig genoeg vaak blootgesteld aan geweld en discriminatie, dat komt in de hele geschiedenis voor. Het bijzondere van de Joden is dat ze – net zoals de Zigeuners – een eigen identiteit hebben weten te handhaven door de eeuwen heen, ondanks de vervolgingen. En door die identiteit zijn ze geen deel geworden van wat men tegenwoordig wel de communitaristische logica noemt. De Joden hebben veel bijgedragen aan het algemene leven van de samenlevingen waar ze in leefden, in economisch, wetenschappelijk, medisch en cultureel opzicht. Ze zouden niet mogen worden blootgesteld aan de haat en de vijandschap waaraan ze al zo lang onderworpen zijn geweest.

***Is de haat tegen de Joden van alle tijden? Bestond die
ook al voor het ontstaan van het christendom?***

Het lijkt erop dat er voor het christendom geen sprake is
geweest van een haat die vervat was in een bepaald ge-
structureerd vertoog.

Het is onbekend wanneer en waar de eerste Joden
zijn verschenen. Het werk van archeologen en historici
stemt niet helemaal overeen met datgene wat in de Bijbel beweerd wordt, in het bijzonder in het Oude Testament, dat voorgeeft een geschiedenis te zijn van de Joden in de Oudheid. Maar één ding is zeker: in het Nabije
Oosten, in het gebied dat vandaag de dag Cisjordanië
wordt genoemd, ten westen van de rivier de Jordaan,
en meer naar het zuiden, in Judea, waar Jeruzalem ligt,
zijn er sinds onheuglijke tijden Joden geweest. Historici
menen dat de Joodse religie, het judaïsme, halverwege
de zevende eeuw voor het begin van de jaartelling is ontstaan.

Aanvankelijk lijken de Joden geen vijandigheid op
te wekken die verschilt van de vijandigheid die gericht
was tegen andere volken of stammen van die tijd. Maar
ze onderscheiden zich wel door een fundamenteel gegeven: ze geloven slechts in één enkele god, het zijn mo-
notheïsten.

Zijn de Joden de eersten die in één unieke god geloven?

Ja, daarna komen het christendom en de islam, religies
die in het verlengde liggen van de Joodse religie. Tot
aan de tijd van Jezus, zijn de Joden de enigen die slechts

één god vereren, en dat in een deel van de wereld dat in contact staat met Egypte, Griekenland, en later Rome, waar men een groot aantal goden vereerde. Van die beschaving weet je intussen al iets. Het lijkt erop dat in die antieke tijd de Egyptenaren een hekel hadden aan de Joden, dat de Grieken hen minachtten omdat ze zeer gehecht waren aan het polytheïsme, dat zij zagen als een teken van beschaving, en dat de Romeinen tamelijk verontrust waren omdat de Joodse religie zoveel aantrekkingskracht had.

Maar het zou in dit verband opnieuw onvoorzichtig zijn om van antisemitisme te spreken. Als de Joden al ten slachtoffer vallen aan geweld, dan heeft dat in de meeste gevallen te maken met strijd tussen stammen en rivaliteit tussen gemeenschappen om de beheersing van lokale hulpbronnen, of met imperiële dominantie. De Egyptenaren deinsden er bijvoorbeeld niet voor terug om andere volkeren tot slaven te maken en de Perzen hadden de gewoonte de elites van volkeren die ze onderwierpen, te deporteren. Opstanden van Joden hebben zich soms gericht tegen machten die de Joodse gemeenschappen te onderdrukkend vonden. En de Joden zelf hebben soms veroveringsoorlogen gevoerd, die in de Bijbel staan beschreven en die soms heel gewelddadig waren.

Het moderne antisemitisme en de obsessie met complotten

Hoe is het anti-judaïsme overgegaan in antisemitisme?
Het antisemitisme, in de eigenlijke zin van het woord, is een Europese uitvinding, of, beter gezegd, een uitvinding uit het westen van Europa. Ik heb je uitgelegd hoe het woord werd bedacht. Maar wat ons nog te doen staat, is het begrijpen van het succes van het antisemitisme.

In Frankrijk en Duitsland, en eigenlijk in heel Europa, is de tweede helft van de negentiende eeuw de tijd van de industriële revolutie en van de moderne natievorming, inclusief de verdere ontwikkeling van staten. De veranderingen zijn zeer aanzienlijk. Onder die omstandigheden treedt verscherping op van de nationalismen en wordt vaker opgeroepen tot zuivering van het sociale lichaam. De veranderingen wekken angsten en weerstanden op, die zich deels gaan uitkristalliseren rondom Joden. Het antisemitisme bouwt ook voort op het voorafgaande anti-judaïsme, dat het antisemitisme als het ware had voorbereid. Je kunt dus zeggen dat het op vruchtbare bodem viel. De oude vooroordelen vermengen zich moeiteloos met het nieuwe vertoog van de haat en de daarmee verbonden praktijken.

Het feit dat talloze Joden in Europa zich assimileerden, keerde zich in die tijd tegen hen. Dat lijkt misschien paradoxaal, maar het zat ongeveer als volgt. In Frankrijk en in het bijzonder in Duitsland, waar oude Joodse gemeenschappen bestonden, krijgen Joden toegang tot het bestuur en de overheid, ze gaan deel uitmaken van het leger en sommigen gaan een belangrijke politieke rol spelen. Enkelen, zoals de families Rothschild en Pereira, hebben een aandeel in het ontstaan van het industriële kapitalisme. In de negentiende eeuw worden velen van hen voor het eerst volwaardig lid van de nationale gemeenschap in het land waar ze leven. In Frankrijk wordt bijvoorbeeld gesproken van 'israëlieten' om diegenen aan te duiden, die net als anderen Franse staatsburgers zijn, maar de Joodse religie aanhangen.

Wat eerder in de tijd hadden bepaalde Joden een rol gespeeld in de beweging van de Verlichting. Je hebt gehoord over de Franse Verlichting, met mensen als Diderot en Voltaire, en over de Duitse Verlichting, met iemand als Immanuel Kant. Sindsdien kun je in de Joodse wereld in Europa twee grote bewegingen zien. Aan de ene kant heb je degenen die aanspraak maken op gelijke rechten zonder af te zien van hun eigen tradities en hun eigen religie. Dat wordt wel emancipatie genoemd. Daar werd ook om gevraagd door de meest beroemde Joodse Verlichtingsfilosoof, Moses Mendelssohn. Aan de andere kant heb je degenen die willen opgaan in de samenlevingen en nationale staten die zich aftekenen.

Ze willen zich assimileren en breken met de Joodse religie en cultuur.

In Frankrijk zijn in de tijd van de Franse Revolutie, en kort daarvoor, grote debatten gevoerd om uit te maken wat er met de Joodse gemeenschappen moest gebeuren. Moesten ze als zodanig erkend worden? Of moest, integendeel, aan de Joden gevraagd worden slechts als individuen deel uit te gaan maken van het publieke geheel? Zouden ze, zoals de graaf van Clermont-Tonnerre het formuleerde, 'alles als individu' moeten krijgen, maar 'niets als natie' (tegenwoordig zou men zeggen: 'niets als gemeenschap')? De revolutionairen aarzelen: moeten de Joodse gemeenschappen aangemoedigd worden zich te ontbinden en moeten Joden individueel aangemoedigd worden zich te assimileren aan de samenleving? Of moeten hun verschillen, hun religieuze specificiteit en hun tradities erkend worden? De eerste weg, die van de assimilatie en integratie, heeft in Frankrijk tot in onze tijd de overhand gehad, zij het niet zonder spanningen zo nu en dan.

Je ziet wel dat de grote hedendaagse debatten, die nu meestal gaan over islamieten, niet nieuw zijn.

Door zich te assimileren en hun religie en cultuur achter zich te laten, hadden de Joden tegelijkertijd de tegen hen gerichte haat ook kunnen laten verdwijnen!
Dat hebben velen inderdaad gedacht en hun kinderen hebben voor die illusie soms heel zwaar moeten boeten. Want jammer genoeg is het niet zo eenvoudig. Naarmate

Joden zich meer assimileren en opgaan in de samenleving, hebben degenen die hen haten ze er vaker van verdacht dat ze zich verbergen en als het ware gemaskerd vooruitgang willen boeken. Ze zien daarin extra arglistigheid en een teken dat leugen en bedrog deel zijn van de Joodse identiteit. Voor hen is het feit dat Joden onzichtbaar worden slechts een bewijs voor hun duivelse karakter. Omdat het verschil niet meer zichtbaar is in culturele termen en amper in religieuze termen, zijn de antisemieten gaan beweren dat heimelijkheid een van de wezenlijke kenmerken van hun ras is.

Wanneer de Joden zich assimileren, worden ze ervan beschuldigd op te gaan in de natie om de nationale identiteit van binnenuit beter te kunnen ondermijnen. En wanneer ze zichtbare religieuze en culturele gemeenschappen vormen, worden hun hun tradities, hun obscurantisme en hun weigering over te gaan tot de dominante religie, verweten. Ze worden er bovendien van beschuldigd dat ze grote proletarische massa's vormen die klaar zouden staan om revolutie te maken. Want destijds was een van de gevolgen van de industriële revolutie dat grote massa's industriearbeiders ontstonden, waaronder een Joods proletariaat, vooral in Midden-Europa. Een deel van de Joodse arbeiders raakte ook betrokken bij sociale en revolutionaire bewegingen.

Maar dat is toch allemaal volkomen tegenstrijdig?
Ja, je hebt gelijk, het is tegenstrijdig. Maar racisten hebben nooit last van hun eigen tegenstrijdigheden. En zo

is het moderne antisemitisme gevormd, met tal van varianten.

Heeft de filosofie van de Verlichting de oude vooroordelen niet uit de weg geruimd?

Zo eenvoudig is het niet. De Verlichtingsfilosofie was erop uit idealen van rechtvaardigheid en gelijkheid te doen zegevieren en wilde universele waarden bevorderen, om te beginnen met de rede. Maar dat betekende ook dat onderdrukking, tradities en obscurantisme moesten worden teruggedrongen. Vanuit dat perspectief konden Joden, die zich vastklampten aan hun geloof en in veelal armlastige gemeenschappen leefden, gezien worden als een obstakel, als een bron van verzet tegen de vooruitgang naar de moderniteit – zelfs door sommige Verlichtingsdenkers. Ze konden ook beschouwd worden als de achterlijke belichaming van een religie die tot verschrikkelijke gewelddadigheden had geleid, zoals beschreven in het Oude Testament. Voltaire heeft honderden pagina's geschreven over dat thema, waarbij hij het judaïsme en het katholicisme over een kam scheert. Hij klaagt ook het winstbejag van de Joden aan.

Dat thema wordt in de negentiende eeuw opnieuw opgenomen en krijgt een nieuwe impuls door andere denkers die zich betrokken voelen bij de vooruitgang en de emancipatie van mensen. Karl Marx, die zelf een Joodse achtergrond had, heeft kunnen schrijven dat de god van de Joden bestond uit geld en 'handel', en dat 'egoïsme' de basis was van de Joodse religie. Bij Marx kun je pagina's aantreffen waarop de Joden verschijnen als een obstakel voor de menselijke emancipatie. Die thema's zijn ook bij andere grote socialistische denkers te vinden, zoals Pierre-Joseph Proudhon en Charles Fourier.

Zijn alle landen in Europa op dezelfde manier betrokken geraakt bij de snelle opkomst van het antisemitisme?

In sommige landen neemt het moderne antisemitisme een hoge vlucht, in andere blijft veeleer het oude anti-judaïsme overheersen. In het tsarenrijk en de Arabisch-islamitische wereld bijvoorbeeld, blijven de gewelddadigheden, de discriminatie, de haatcampagnes en de geruchten lange tijd anti-judaïstisch. Maar zelfs in die gebieden maakt het idee dat Joden een kwaadwillend ras zijn snel opgang en dat idee komt boven op het traditionele anti-judaïsme.

In heel Europa worden de Joden ervan verdacht te complotteren, de natie aan te tasten en in het verborgene voor te dringen om zo beter hun belangen te kunnen behartigen. Mensen die Joden verachten of die op cynische wijze de bevolking willen manipuleren om hun aandacht af te leiden van meer realistische zorgen – van politieke, economische, sociale of militaire aard – beschuldigen Joden ervan geheime doelen na te streven. En zo ontstaat een obsessie met complotten, die ook vandaag de dag nog springlevend is.

Men verzint alle mogelijke affaires en complotten,

die voedsel geven aan geruchten en verdachtmakingen. Het meest bekende en meest extreme voorbeeld wordt gevormd door *De Protocollen van de Wijzen van Zion*, een vervalst document dat aan het begin van de twintigste eeuw gaat circuleren en als bewijs wordt aangevoerd om te betogen dat de Joden samenzweren tegen de rest van de mensheid.

Daar heb ik van gehoord, je kunt het stuk vinden op internet!

Het gaat om een document dat eruitziet als een plan voor de verovering van de wereld door de Joden. En trouwens ook door de vrijmetselaars, want die worden sinds het einde van de negentiende eeuw in nationalistische en katholieke kringen en binnen extreemrechts vaak geassocieerd met Joden binnen hetzelfde haatcomplex. Dat plan zou zijn opgesteld door Joodse 'wijzen', een soort occulte regering, in de loop van een twintigtal geheime zittingen. Het doel zou zijn om de christenheid te vernietigen met behulp van alle mogelijke middelen: door geweld, arglistigheid en revolutie.

Sinds de *Protocollen* werden verzonnen, zijn ze gebruikt in de antisemitische propaganda. Hitler zag er een voorbeeld in van de heimelijke bedoelingen van de Joden, een bewijs van hun permanente leugenachtigheid. De tekst circuleert ook tegenwoordig nog, in het bijzonder binnen islamistische netwerken, en duikt van tijd tot tijd op in extreemrechtse kringen. En het document is een van de vaste onderdelen van de antisemitische propaganda op internet.

41

Hoe kun je er zeker van zijn dat het een vervalsing is?

Het is precies bekend hoe en door wie de *Protocollen* zijn gemaakt. Ze zijn in Frankrijk opgesteld en geredigeerd in 1900-1901 op verzoek van de Okhrana, de geheime politie van het Russische tsarenrijk. De tekst, die de eerste maal in het Russisch werd geschreven, was een vrij nauwkeurige imitatie van een pamflet uit 1864. Daarin werd een imaginair complot geschetst van Napoleon III om de wereld te overheersen. De titel luidde: *Een dialoog in de hel tussen Machiavelli en Montesquieu, of de politiek van Machiavelli in de negentiende eeuw.* Het was geschreven door een zekere Maurice Joly.

Wat heeft Rusland ermee te maken?

De vervalsing moest dienen ter ondersteuning van een vijandige politiek ten opzichte van de Joden in het Russische rijk en voedsel geven aan propaganda die ten doel had aan te tonen dat de Joden complotteerden. Daaraan moet toegevoegd worden dat in dat deel van de wereld sinds de jaren 1880 een virulent en gewelddadig antijudaïsme overheerste, dat gekenmerkt werd door een toename van pogroms.

Wat is een 'pogrom'?

Dat van oorsprong Russische woord betekent: 'alles vernietigen', zowel mensen als hun bezittingen. De eerste massamoorden die 'pogroms' werden genoemd, vonden plaats in het Russische keizerrijk tussen 1880 en 1884. Die eerste golf, waarin moorden, verkrachtingen, diefstallen, roof en destructie samengingen, werd gevolgd door een tweede, tussen 1903 en 1906. Een dieptepunt werd bereikt in Kisjinev, een stad in Bessarabië, waar in 1903 zevenenveertig doden vielen en in 1905 nog eens negentien. Pogroms hebben over het algemeen één kenmerk gemeenschappelijk: het geweld wordt gepleegd door een ontketende bevolking, die aangemoedigd wordt door de politieke machthebbers om de Joden aan te pakken.

Zijn er in Frankrijk pogroms geweest?

Nee, maar op een bepaald moment tijdens de zogeheten affaire Dreyfus, in 1898, is er zeer heftige antisemitische agitatie geweest, met gewelddadige demonstraties en rellen, waarbij doden zijn gevallen in meerdere steden in Frankrijk en ook in Algerije.

Is de zaak-Dreyfus een uiting van het Franse antisemitisme?

Dat kun je niet helemaal zo zeggen, want de Dreyfusaffaire heeft Frankrijk diepgaand verdeeld en Dreyfus zelf heeft, na lange jaren van strijd, eerst gratie gekregen en is daarna gerehabiliteerd.

Alfred Dreyfus was een van die geassimileerde Joden, van wie ik je vertelde dat ze er door antisemieten van verdacht worden de natie van binnenuit te ondermijnen. Als kapitein in het Franse leger, wordt hij er in 1894 van beschuldigd dat hij geheime informatie zou hebben doorgespeeld aan de Duitsers. Dat ligt des te gevoeliger omdat Frankrijk de militaire nederlaag van 1870 en het verlies van de Elzas en het departement van de Moezel niet verwerkt heeft. Hij wordt gedegradeerd en veroordeeld tot levenslange dwangarbeid. Maar zijn familie zet zich in om zijn onschuld te bewijzen. Ze slagen erin verschillende vooraanstaande personen daarvan te overtuigen. De generale staf van het leger beschikt vanaf 1896 over gegevens die de onschuld van Dreyfus aantonen en duidelijk maken dat het verraad door een andere militair is gepleegd, een zekere Esterhazy. Er wordt niets mee gedaan.

De 'dreyfusards', degenen die Dreyfus verdedigen, krijgen beslissende steun van de grote schrijver Émile Zola, die in 1898 een grondig gedocumenteerd pleidooi publiceert, zijn beroemde *J'accuse...* (Ik beschuldig...). Uiteindelijk wordt Dreyfus gratie verleend in 1899 en wordt hij in 1906 definitief onschuldig verklaard.

Gedurende enkele jaren lijkt het wel of Frankrijk in tweeën is gespleten. Een tekening van Caran d'Ache, die in 1898 gepubliceerd werd in de krant *Le Figaro*, laat in twee afbeeldingen een familiediner zien. Op het eerste plaatje gaat alles goed, het is een ordelijke, burgerlijke maaltijd. Op het tweede plaatje is de eetkamer in een ongelooflijke chaos veranderd, de verwanten zijn met elkaar op de vuist gegaan. Het onderschrift luidt: 'Ze hebben erover gepraat'. Ze hebben het over de Dreyfusaffaire gehad. Die beroemde tekening illustreert heel goed het klimaat van destijds.

De 'dreyfusards', was dat links, en de 'antidreyfusards', was dat rechts?

Ik moet uitkijken met het antwoord op die vraag, want de tijden zijn veranderd. Links en rechts hadden toen niet dezelfde betekenis als tegenwoordig. Aanvankelijk, bij het begin van de 'Affaire', stelt links, dat zichzelf ziet als de beweging van de arbeiders en het socialisme, zich terughoudend op. De meest vooraanstaande leider van links, Jean Jaurès, raakt pas in 1898 bij de zaak betrokken. Er was antisemitisme op links, vanwege het antikapitalisme en de associatie van Joden met geld. Ik heb je al verteld over Marx, Fourier en Proudhon.

De strijd gaat meer tussen republikeinen en katholieken, een strijd die wel 'de oorlog van de twee Frankrijken' is genoemd. De 'dreyfusards', over het algemeen zeer republikeins, krijgen steun van mensen die later 'intellectuelen' genoemd worden, zoals bijvoorbeeld van de Liga voor de Rechten van de Mens, die juist in die tijd, in 1898, werd opgericht. De 'antidreyfusards' stammen uit de rangen van nationalisten en katholieken, en zijn over het algemeen antisemieten – Frankrijk was toen nog een heel christelijk land.

De 'Affaire' heeft de intensiteit van het antisemitisme in Frankrijk aan het licht gebracht. Daar had je al eerder een indruk van kunnen krijgen door het formidabele succes van het boek van Édouard Drumont in ogenschouw te nemen. Dat boek droeg de titel *La France juive* (Het Joodse Frankrijk) en de eerste editie kwam uit in 1886. Het tijdschrift van Drumont, *La Libre parole*

(Het vrije woord), verscheen in 1892 in een oplage van 200.000 exemplaren. Het had ook repercussies in het buitenland. En het gaf het project van de stichting van een Joodse staat wind in de zeilen, dat leek immers een antwoord te kunnen zijn op het antisemitisme dat in Europa heerste.

Wat staat er in La France juive?

Het is een dik boek, omstreeks 1200 pagina's in de eerste versie, dat onder andere een lijst omvat met drieduizend namen van Joden en hun vrienden. Alle thema's van het moderne, of zo je wilt racistische, antisemitisme komen erin aan de orde, vermengd met het christelijke anti-judaïsme. Het gaat in op de tegenstelling tussen 'Ariërs' en 'Semieten', het beweert dat de financiële zaken en het kapitaal in handen zijn van de Joden, maar er wordt ook betoogd dat ze een volk van 'godsmoordenaars' zijn. Het verkoopsucces van de eerste uitgave is zo groot dat in 1888 een ingekorte versie wordt uitgebracht. Die is meer dan tweehonderd keer herdrukt!

Destijds was het antisemitisme een mening die je zonder schaamte of enigerlei terughoudendheid in het openbaar kon uitdragen – ik vertelde je al dat het tijdschrift van Drumont *La Libre parole* heette. De racistische en antisemitische ideeën die vanaf die tijd overal in de wereld de ronde doen, hebben heel wat te danken aan Franse denkers, schrijvers en journalisten zoals Drumont.

Maar in elk geval verloren de 'antidreyfusards' de
strijd. Dus het antisemitisme werd wel teruggedrongen.
Helaas heb je te veel vertrouwen in de rede en het recht!
In werkelijkheid was de Dreyfusaffaire niet het einde
van het moderne antisemitisme in Frankrijk. Na die
eerste golf volgde wel een zekere kalmte na de Grote
Oorlog, waarin Joodse Fransen en buitenlandse Joden
hun bloed vergoten, maar in de jaren dertig volgde een
sterke, nieuwe golf die in Frankrijk zijn hoogtepunt be-
reikte onder het regime van Vichy.

In heel West-Europa is de beweging hetzelfde: de Joden assimileren, ze krijgen toegang tot de samenleving
en de natie. In de ogen van nationalisten is dat onverdraaglijk. Tegelijkertijd arriveren grote aantallen Joodse immigranten uit Oost-Europa, die zich van de assi-
milerende Joden onderscheiden door hun armoede en
hun andere culturele, religieuze en linguïstische achtergrond. Ze zijn verdreven door de misère en het antisemitisme en willen graag deel hebben aan de moderne
samenlevingen, die erfgenaam zijn van de Verlichting.
Ook dat is onverdraaglijk voor de nationalisten.

In Rusland, in het oosten van Europa, en in het bijzonder in Polen, assimileert een deel van de Joden zich,
maar de meerderheid leeft nog steeds in afzonderlijke
gemeenschappen. Ze vormen een overwegend arme,
zichtbare en talrijke minderheid die een gemakkelijk
doelwit is voor de rest van de bevolking. De haat tegen
Joden bereikt er nieuwe hoogten.

De mensen die – tegen elk redelijk betoog en alle feitelijke documentatie in – van mening zijn dat de Joden complotteren en op kwaadaardige wijze actief zijn, worden niet in verlegenheid gebracht door uiteenzettingen die hun ongelijk aantonen. Integendeel, ze zien daarin extra bewijs voor de juistheid van hun visie: huns inziens zijn de Joden zo kwaadaardig en pervers dat ze hun doeleinden en boosaardige acties dusdanig kunnen verhullen dat die niet meer opgespoord kunnen worden. Hoe meer wordt aangetoond dat het onjuist is Joden van allerlei verschrikkelijks te betichten, hoe meer dat zou bewijzen hoe bedreven ze zijn in het verbergen van hun ware bedoelingen!

Met zo'n manier van redeneren heb je altijd gelijk. Des te meer men ongelijk heeft, des te meer heeft men gelijk. Je zou met de historicus Léon Poliakov kunnen spreken van een 'diabolische causaliteit'.

Het nationaalsocialisme, het antisemitisme en de genocide van de Joden

Waarom was Hitler een antisemiet?

Bij hem was het een echte obsessie. Degenen die zich verdiept hebben in de psychologie van Hitler, hebben wel betoogd dat het te maken had met zijn kindertijd en een ontbrekende vader, en hebben een psychoanalytische interpretatie gegeven, waarin hij als een paranoïde psychopaat is beschouwd. Anderen hebben het pregnante antisemitische klimaat in Wenen geschetst, waarin hij in zijn vroege jeugdjaren werd ondergedompeld. Men heeft ook benadrukt dat hij zakte voor zijn toelatingsexamen voor de Kunstacademie. In elk geval is het zo dat de nazi-ideologie, die hij mede heeft helpen vormen, van meet af aan het 'Jodendom' de schuld heeft gegeven van de Duitse militaire nederlaag van 1918 en ook de Russische Sovjetrevolutie, die toen net had plaatsgevonden, beschouwde als het werk van Joden. Dat alles zou deel uitmaken van een complot tegen Duitsland. Het nationaalsocialistische partijprogramma uit 1920 beoogt onder meer om de Joden uit te sluiten van de Duitse nationaliteit. Zijn boek *Mein Kampf* richt zich ook tegen andere doelwitten van zijn racisme, maar bevestigt de centrale positie van de haat tegen de Joden.

Het nazisme heeft veel ontleend aan de cultuur van antisemitisme die zich zo'n beetje overal in Europa had ontwikkeld. In het bijzonder spelen *De Protocollen van de Wijzen van Zion* opnieuw een rol. Het nazisme zag zichzelf als de levende kracht die de strijd van de Ariërs tegen de Semieten voortzette – de strijd tussen de rassen, die zou moeten resulteren in de eliminatie van het Joodse ras.

Hier moet aan toegevoegd worden dat in de jaren na de Eerste Wereldoorlog overal in Europa, en niet alleen in Duitsland, antisemitische ideologieën goed gedijden. De crisis van 1929 maakte van de Joden voor de zoveelste keer zondebokken. De crisis, die was begonnen in de Verenigde Staten en zich vervolgens uitbreidde over Europa, had te maken met de beurs en was aanvankelijk vooral van financiële aard, maar kreeg al snel vele andere economische en sociale gevolgen. Faillissementen, het ineenstorten van de productie, massale werkloosheid, armoede en sociale en politieke agitatie, maakten er deel van uit. De Joden waren een uitgelezen doelwit om de aandacht af te leiden, terwijl het er eigenlijk om had moeten gaan aanzienlijke economische en politieke moeilijkheden onder ogen te zien en het hoofd te bieden.

Hoe kwam dat tot uitdrukking?

De haat tegen de Joden kun je waarnemen in het bestaan van partijen, verenigingen en politieke programma's die uitgesproken antisemitisch zijn, vooral in Duitsland en Oostenrijk. Je kunt er ook over lezen in de kranten van toen en in boeken, waarin met wetenschappelijke pretenties getheoretiseerd werd over het Joodse ras. Dag in dag uit werd geschreven over vermeende wandaden van Joden, die enerzijds als een soort supermensen werden neergezet, omdat ze er duivelse praktijken op na zouden houden, en anderzijds als *Untermenschen*, van wie men zich zou moeten ontdoen.

Je kunt het ook constateren in de literatuur van die tijd. Als voorbeelden uit Frankrijk zou ik de gebroeders Goncourt kunnen aanhalen, die hun naam hebben gegeven aan een literaire prijs die tot op heden nog elk jaar wordt uitgereikt. Of de schrijver Robert Brasillach, die een actieve collaborateur van de Duitsers zou worden tijdens de Tweede Wereldoorlog en bij de bevrijding ter dood werd veroordeeld en geëxecuteerd. En natuurlijk ook Louis-Ferdinand Céline, die zowel een van de grootste schrijvers van die tijd was als een schuimbekkende antisemiet.

Er zijn ook nog andere belangrijke figuren in het brandpunt van het intellectuele, religieuze en politieke leven, zoals Charles Maurras, die leiding gaf aan de *Action française* (De Franse actie), een royalistische beweging van extreemrechts, die zelfs de Joodse oorsprongen van het christendom betwistte en ten tijde van de Tweede Wereldoorlog de kant koos van het Vichyregime van maarschalk Pétain. Maar Frankrijk is ook het land waar Léon Blum regeringsleider kon worden van de Volksfrontregering in 1936. Een Jood die aan het hoofd kwam te staan van een Europese staat en daarmee weliswaar antisemitische aanvallen op zijn eigen persoon ontketende, maar niettemin politieke macht uitoefende.

Is er ook antisemitisme ter linkerzijde?

Ja, van tijd tot tijd kun je ook sporen van antisemitisme aantreffen in de communistische pers, als het erom gaat het kapitalisme aan te klagen en bepaalde Joden bij die aanklachten te betrekken.

Hoe is het mogelijk dat dergelijke ideeën ook opgang maakten in Duitsland?

Naast alles wat je al weet over de opkomst van het moderne antisemitisme overal in Europa, waren er in Duitsland nog enkele bijzondere omstandigheden. Begin jaren dertig waren er ongeveer een half miljoen Joden in dat land, minder dan een procent van de totale bevolking. Amper te vergelijken met bijvoorbeeld het naburige Polen, waar omstreeks drie miljoen Joden leefden, zo'n tien procent van de bevolking. De Duitse Joden zijn over het algemeen goed opgeleid en geïntegreerd in het economische en bestuurlijke leven in het land. Bovendien houden ze afstand van de arme Joodse immigranten die uit het Oosten komen, in het bijzonder uit Polen en Rusland. Ze identificeren zich sterk met de Duitse natie, ongeveer net zoals kapitein Dreyfus zich identificeerde met Frankrijk. In het zeer christelijke Duitsland, deels katholiek en deels protestant, is vrijwel de hele bevolking doordrenkt met anti-judaïsme, vanaf jonge leeftijd maakt dat deel uit van het reguliere onderwijs.

Het jaar 1918 bracht de schok van de nederlaag, kort daarop ook nog gevolgd door de vernedering van het Verdrag van Versailles. Bij dat verdrag legden de overwinnaars de volledige verantwoordelijkheid voor de oorlog bij Duitsland en verplichtten zij het land tot zware herstelbetalingen. De Duitsers beschouwden het verdrag als een *Diktat*, temeer omdat tijdens de oorlog geen enkele geallieerde soldaat tot hun nationale territorium was doorgedrongen. Daar komen nog economische moeilijkheden bij, met als dieptepunt de crisis van 1929, de politieke verdeeldheid van links en de onmacht en het onvermogen van de Republiek van Weimar, een parlementaire democratie die in 1919 was gevormd en die aan het begin van de jaren dertig ineenstort. Hitler wordt kanselier, of regeringsleider zo je wilt, in 1933. Dat alles verklaart mede waarom een extremistische partij aan de macht kon komen. Een democratie is kwetsbaar en in een situatie van crisis kunnen simplistische en irrationele ideeën de overhand krijgen op het gezonde verstand.

Toen hij eenmaal aan de macht was, heeft Hitler zich toen meteen op de Joden gestort?

Om te kunnen begrijpen wat zich afspeelt in Duitsland onder het nationaalsocialisme is het van belang te weten dat hij de charismatische leider was van een totalitaire beweging met een wereldbeeld, een ideologie, die het hele land fundamenteel verandert, het tot oorlog aanzet en een actieve antisemitische politiek mogelijk maakt.

Je zou een heel boek moeten lezen, zoals dat van Raul Hilberg, om door te dringen tot de kern van wat hij *La Destruction des Juifs d'Europe* (De destructie van de Europese Joden) heeft genoemd – zo luidt de titel van zijn magistrale studie. Laat ik je alleen zeggen, of je eraan herinneren, dat al heel vroeg, in 1935, de nazi's de wetten van Neurenberg aannemen. Wetten die voorgeven 'het Duitse bloed en de Duitse eer' veilig te stellen. Bij supplement op die wetten wordt bepaald wie Jood is, half-Jood en kwart-Jood, en het wordt Duitsers met 'Duits bloed' verboden te huwen met Joden.

De nieuwe machthebbers nemen talloze vijandige maatregelen tegen de Joden. Ze worden gediscrimineerd, het Duitse staatsburgerschap wordt hun afgenomen, ze verliezen hun burgerrechten, ze worden uitgesloten van bepaalde beroepen, hun paspoorten worden ingenomen (in 1938) en ze worden beroofd (hun bezittingen worden geconfisqueerd) – de nazi's noemen dat 'Arisering'. De Joden worden geterroriseerd om ze te dwingen tot emigratie, voor zover ze daar nog de middelen voor hebben. In de loop van de beruchte 'Kristallnacht', in november 1938, worden 200 synagogen en 7500 Joodse winkels verwoest, tientallen Joden worden vermoord en omstreeks 30.000 van hen worden naar de concentratiekampen van Dachau en Buchenwald gestuurd. Het woord 'kristal' (*Kristall* in het Duits) verwijst naar de glasscherven op de straten voor de Joodse winkels waarvan de etalageruiten waren ingeslagen.

Tijdens de oorlog, vanaf 1941, brengen de nazi's 'de definitieve oplossing van het Joodse vraagstuk' op gang: met massamoorden achter het front in het Oosten en vervolgens met de deportaties naar de gaskamers in de vernietigingskampen. Die genocide, die bijna zes miljoen Joden, onder wie anderhalf miljoen kinderen, het leven heeft gekost, werd gerealiseerd in samenwerking met lokale autoriteiten, die soms aangesteld waren door de nazi's, in de bezette gebieden in Frankrijk, Polen en Centraal-Europa. De genocide neemt bizarre organisatorische proporties aan: er zijn talloze bureaucraten bij betrokken die allemaal hebben geloofd dat ze hun werk deden en gehoorzaamden aan bevelen van bovenaf. De vervolging en de kolossale massamoord hebben zich voltrokken te midden van een grote onverschilligheid en, laten we maar zeggen, van een latente tevredenheid, die niet uitgesproken werd, maar onmiskenbaar aanwezig was. Aanzienlijke delen van de Duitse bevolking, maar ook van de bevolkingen in de bezette gebieden, hebben er actief aan meegewerkt. Overigens moeten we degenen die geprobeerd hebben Joden te redden, niet vergeten, ze worden wel 'Rechtvaardigen' genoemd.

De Franse staat onder leiding van maarschalk Pétain heeft meer gedaan dan alleen samenwerken met de Duitse bezetter. Het antisemitisme werd geïnstitutionaliseerd, met de afkondiging van wetten zoals het *Statut des Juifs* (De wet op de Joden), met de inrichting van een Algemeen Commissariaat voor Joodse Zaken, en door de politie ter beschikking te stellen van de nazi's om de Joden door middel van razzia's op te pakken. Dat gebeurt in juli 1942, bij de treurigstemmende en beruchte razzia van *Vél' d'Hiv'*, toen bijna 13.000 Joden, onder wie 4000 kinderen, door Franse politiemensen werden opgepakt en vastgezet in het *Vélodrome d'Hiver* in Parijs. Vervolgens zijn ze gedeporteerd naar de gaskamers van Auschwitz. Van de omstreeks 330.000 Joden die in 1939 in Frankrijk leefden, zijn er bijna 75.000 na deportatie vermoord.

Maar er zijn ook Joden geweest die de deportaties overleefd hebben!

Zeker. Het merendeel van de Joden in het bezette Europa is naar de vernietigingskampen gestuurd (zoals Belzec, Treblinka, Chelmno en Auschwitz-Birkenau), waar ze kort na aankomst zijn vermoord. Maar sommigen zijn uitgebuit door middel van slavenarbeid in Auschwitz (dat zowel een werkkamp als een vernietigingskamp was) en elders. Van hen heeft een aantal kunnen overleven. Van de gedeporteerde Franse Joden hebben er drieduizend de deportatie overleefd, onder wie Simone Veil, die later een heel belangrijke politieke rol heeft gespeeld.

Maar het project van de nazi's was er zeker op gericht hen allemaal te vernietigen, om een einde te maken aan wat ze soms 'het Joodse ongedierte' noemden. Dat is zelfs waar als je in ogenschouw neemt dat de Joodse dwangarbeid bijdroeg aan de oorlogsinspanningen – die arbeid leverde een niet onaanzienlijke economische bijdrage, zeker tegen het einde van de oorlog. Maar de nazi's gaven voorrang aan de uitvoering van de genocide.

Waarom heeft niemand de genocide verhinderd?
Stonden de Geallieerden onverschillig tegenover het lot
van de Joden?

Het schijnt dat de Verenigde Staten geaarzeld hebben
om deel te gaan nemen aan de oorlog onder meer omdat
de politieke leiding vreesde ervan beschuldigd te worden dat ze oorlog zouden gaan voeren ter wille van de Joden. Je moet weten dat het antisemitisme in de Verenigde Staten destijds sterk was. Aan heel wat universiteiten
konden Joden bijvoorbeeld niet als professor benoemd
worden. Ik heb een hoogleraar gekend, David Apter, die
me eens vertelde dat hij in de jaren zestig de eerste Jood
was die benoemd werd bij de afdeling politieke weten-
schappen van een grote universiteit aan de Oostkust.

Daar moet aan toegevoegd worden dat er tijdens de
oorlog, ondanks de berichten over de massamoorden
in het Oosten, die vanaf 1942 circuleerden, geen helder
beeld bestond over wat zich aan het voltrekken was. Be-
denk ook dat het begrip 'genocide' uit 1944 stamt en dat
de woorden 'Shoah' en 'Holocaust' pas na de oorlog zijn
uitgevonden. En onder degenen die min of meer op de
hoogte konden zijn, was het leidende idee dat er alleen
een einde aan de nazi-barbarij zou kunnen worden gemaakt door de oorlog te winnen.

Is het antisemitisme minder geworden nadat het
nazisme verslagen was en de misdaden van de nazi's
aan het licht waren gekomen?

Dat verschilt van land tot land. In Duitsland hadden

Hitler en een paar anderen zelfmoord gepleegd in de laatste dagen van de oorlog, of kort daarna. Een groot aantal verantwoordelijke nazi's lukte het om Duitsland te ontvluchten. Ze werden daarbij geholpen door netwerken die hen in staat stelden uit te wijken naar bijvoorbeeld landen in Latijns-Amerika en in enkele gevallen naar landen in het Midden-Oosten, die zich niet geneerden om hen op te vangen. De schandvlek van de vervolging en de vernietiging, die het antisemitisme begon te veranderen in een misdaad, was daar nog amper doorgedrongen.

Het verslagen Duitsland werd in tweeën gedeeld: het Westen werd bezet door de Verenigde Staten, het Verenigd Koninkrijk en Frankrijk, het Oosten door de Sovjet-Unie. De Koude Oorlog liep uit op een radicale scheiding tussen de beide Duitslanden, die wat later zou worden gesymboliseerd door de Berlijnse Muur. Enkele belangrijke oorlogsmisdadigers zijn berecht in de grote processen die in Neurenberg zijn georganiseerd. Maar ook zijn velen, van minder belang, opgegaan in de Duitse samenleving en niet of nauwelijks strafrechtelijk lastiggevallen, of pas veel later. Toch heeft West-Duitsland, vanaf het eind van de jaren vijftig, een moedig zelfonderzoek in gang gezet om te achterhalen wat er allemaal gebeurd was en het verleden helder onder ogen te zien.

Oostenrijk, dat onmiskenbaar een centrale plaats in het nationaalsocialisme had ingenomen, is een geval apart. De reflectie op het antisemitisme is daar nooit zo ver en zo diep gegaan als in West-Duitsland, men heeft voor Oostenrijk wel gesproken van verdringing. In het verlengde daarvan zijn degenen die terecht signaleerden dat Kurt Waldheim, een hoge figuur in het internationale en Oostenrijkse politieke leven, officier was geweest in de *Wehrmacht* en in het bijzonder in Griekenland nauw had samengewerkt met de nazi's, en die dat ook aan de orde stelden toen hij president van Oostenrijk werd (1982 – 1986), ervan beschuldigd... dat ze complotteerden tegen Oostenrijk!

Overigens is veel van wat kort na de oorlog gebeurt nogal verbijsterend. In Polen, en ook in diverse andere landen binnen het Sovjetimperium, blijft het antisemitisme in de naoorlogse jaren sterk aanwezig. In dat land, waar negentig procent van de Joodse bevolking was uitgeroeid (niet veel minder dan drie miljoen mensen), vermengt het nationalisme zich met het katholieke anti-judaïsme. Daar komt de vrees bij dat Joodse overlevenden hun bezittingen, die hun Poolse buren zich inmiddels hadden toegeëigend, zouden terugvragen. Overlevenden die terugkeren in hun dorpen worden vermoord. Wilde geruchten doen de ronde en het klimaat is gunstig voor pogroms, zoals in Kielce (4 juli 1946, 42 doden), waarschijnlijk mede georkestreerd door het communistische apparaat, dat bezig is de macht naar zich toe te trekken. Het zijn troebele tijden: de Sovjetsympathisanten zijn op orders van Moskou doende hun macht te vestigen, het land, dat zwaar geleden heeft onder de oorlog en de Duitse bezetting, is heel katholiek en staat overwegend vijandig ten opzichte van het communisme. De enkele tienduizenden Joden die de Shoah overleefd hebben, worden als gevolg van verschillende, door het regime georganiseerde, antisemitische campagnes bijna allemaal in ballingschap gedreven. De laatste campagne vond plaats in de jaren 1967-'68.

In Sovjet-Rusland laat het regime na de oorlog Joodse schrijvers vermoorden, het vernietigt de nog resterende Joodse cultuur en pakt het Joodse Antifascistische Comité aan. Vanaf 1948 wordt campagne gevoerd tegen de zogeheten 'kosmopolieten zonder wortels', dat wil zeggen tegen de Joden.

Wat betekent 'kosmopoliet'?

Het kosmopolitisme is het idee dat individuele mensen burgers van de wereld zijn. Het woord kent een mooie en lange filosofische traditie, van Socrates tot aan de Verlichting. Maar het wordt ook in negatieve zin gebruikt, vooral in de tijd tussen de beide wereldoorlogen, om mensen of groepen aan te duiden die geen enkele binding met een vaderland of een natie zouden hebben. Vandaar de antisemitische gelijkstelling 'Joden = kosmopolieten', die de Joden ervan beschuldigt dat ze niet in staat zijn zich te identificeren met de nationale gemeenschap waarin ze leven, die hen verwijt geen wortels te hebben en daarenboven de kwaadaardige opzet te koesteren de wereld te willen overheersen. Die gelijkstelling doet zowel onder nationalisten als onder communisten de ronde.

Vanaf 1948 worden Joden in de Sovjet-Unie ervan beschuldigd dat ze in het geheim vijandig staan tegenover het communisme – terwijl in werkelijkheid sommigen van hen er juist grote voorstanders van waren, en soms nog zijn. Het antisemitisme neemt in die tijd krankzinnige en paranoïde vormen aan. Dat blijkt bijvoorbeeld uit de affaire van 'de witte jassen'. Een aantal artsen, merendeels Joods, wordt er door Stalin op totaal onheuse wijze van beschuldigd moorden te hebben gepleegd, te saboteren en een complot tegen hem te smeden om hem uiteindelijk om te kunnen brengen. Zijn dood, in 1953, maakt een einde aan een proces waarin grootschalig geweld tegen Joden werd voorbereid.

Verschilt het antisemitisme in het Sovjetblok van het antisemitisme dat West-Europa had gekend?

Het is een merkwaardige mengelmoes, vooral in de nieuwe volksdemocratieën, in het bijzonder in Polen, zoals ik je al zei. Een oude anti-judaïstische haat, nationalistisch, heel christelijk in zijn thematiek en vijandig ten opzichte van het communisme, gaat soms samen met manipulaties van het communistische regime dat tegenslagen onder de bevolking toeschrijft aan Joden. Toen bijvoorbeeld de veiligheidsdiensten heftige weerstand opriepen, suggereerde een officiële campagne dat die geleid werden door activistische Joden – Joden, dus geen 'echte' Polen.

Het moet gezegd worden dat dat vaak een strategie was van regimes die door Moskou in het zadel waren geholpen. Ze stellen enkele Joden, die door de bevolking gemakkelijk als zodanig te herkennen zijn, aan op

zeer zichtbare posities en geven hun politieke verant-
woordelijkheden. Dat maakt het mogelijk in geval van
maatschappelijke spanningen of sociale moeilijkheden
de aandacht af te leiden door te wijzen naar die verantwoordelijke functionarissen en hen tot zondebokken te
maken van de volkswoede. In Polen was bijvoorbeeld Ja-
kub Berman, het hoofd van de door de bevolking gehate
Geheime Politie en een lid van het Partijbureau van de
Verenigde Poolse Arbeiderspartij (dat wil zeggen de communistische partij), Joods – iedereen wist dat.

In sommige landen in Centraal-Europa zijn nauwelijks Joden meer. Maar 'de Jood' blijft de belichaming
van het kwaad in het volkse vertoog. Een journalist, Paul
Lendvaï, heeft dat 'antisemitisme zonder Joden' genoemd. Overigens was het meer anti-judaïsme.

En hoe was het in Frankrijk?

Het antisemitisme wordt na de oorlog gediskwalifi-
ceerd. Jean-Paul Sartre verklaart dat het niet langer een
mening is, maar een 'criminele hartstocht'. Het blijft
beperkt tot de zelfkant van extreemrechts, die amper
gelegenheid vindt van zich te doen spreken.

In het algemeen ontbreekt het aan politieke ruimte
om over de Joodse problematiek te spreken, het lijkt er
ook op dat men weinig geïnteresseerd is in de vernietiging van de Joden door de nazi's. Het is de tijd van de
wederopbouw en van de alliantie tussen degenen die de
legitimiteit van *La Résistance* (Het Verzet) voor zichzelf
opeisen: de gaullisten en de communisten.

En binnen de Kerk, heeft men daar uiteindelijk afgezien van het anti-judaïstisch vertoog?

In de naoorlogse tijd heeft de katholieke Kerk, geschokt door toenemend begrip van wat de Holocaust is geweest en getroffen door beschuldigingen aan het adres van paus Pius XII, die destijds is blijven zwijgen in het aangezicht van de nazi-misdaden, het nodige gedaan om een einde aan het anti-judaïsme te maken. Sindsdien is dat marginaal geworden binnen de Kerk. In 1962 heeft paus Johannes XXIII het 21ste Concilie van de katholieke Kerk geopend – doorgaans het Tweede Vaticaanse Concilie genaamd – het werd in 1965 afgesloten. Er wordt aan deelgenomen door omstreeks 2500 bisschoppen en hoofden van religieuze orden, nog afgezien van experts en andere genodigden. Onder de grote heroriëntaties die zich tijdens het concilie aftekenen, neemt de heroriëntatie ten opzichte van de Joden een prominente plaats in. Er wordt duidelijk gesteld dat er een eind moet worden gemaakt aan de beschuldiging dat zij een 'volk van godsmoordenaars' zijn en dat de aandacht moet worden gevestigd op het gemeenschappelijke erfgoed van jodendom en christenheid. De vervolgingen van de Joden worden expliciet veroordeeld.

Dat is dus het einde van het christelijke anti-judaïsme?

Het betekent in elk geval de neergang van het anti-judaisme, ook al zijn delen van de Kerk het niet eens met het Tweede Vaticaanse Concilie, en zijn de orthodoxe Kerken nog ver verwijderd van een soortgelijk *aggiornamento* (een heroriëntatie op de moderne tijd). Je herinnert je vast nog wel Pussy Riot, dat groepje van drie 'punk'-vrouwen die in 2012 gevangen werden gezet door een rechter in dienst van Vladimir Poetin, omdat ze in een kerk het lied 'Vladimir, rot op!' hadden gezongen? De gevestigde macht, die de campagne tegen hen aanvoerde, werd ondersteund door de Russische orthodoxe Kerk, die zozeer de kaart van het christelijke anti-judaïsme speelde dat de advocaat van Pussy Riot zich verplicht voelde om op zijn blog te laten weten dat hij niet Joods was.

De staat Israël, de Joden en de antisemieten

De staat Israël, was dat het antwoord op het antisemitisme? En is dat een bevredigend antwoord geweest?
Op 14 mei 1948, ten gevolge van een stemming binnen de Verenigde Naties en precies op het moment dat het Britse mandaat over Palestina afliep, is de onafhankelijkheid van de staat Israël uitgeroepen. Het is de uitkomst van een ontwikkeling die aan het einde van de eeuw daarvoor door de zionistische beweging was begonnen. De geboorte voltrekt zich te midden van gewelddadigheden: de naburige Arabische staten accepteren het nieuwe gegeven niet en er breekt direct oorlog uit. Honderdduizenden Palestijnen worden op de vlucht gedreven. Joden uit Europa, maar ook uit landen in de Arabische en de islamitische wereld (waaruit ze vaak verdreven werden na de onafhankelijkheid van die landen) gaan de nieuwe staat bevolken.

Maar ook velen kiezen ervoor in de diaspora te blijven leven. Ze staan soms zelfs heel terughoudend tegenover het idee van een Joodse staat, ze zijn antizionistisch.

Wie ondersteunt de stichting van Israël? En wie staat er vijandig tegenover?

Aan het einde van de Tweede Wereldoorlog had Stalin de stichting van de staat Israël aanvankelijk ondersteund. Maar al heel snel komt hij er vijandig tegenover te staan en in de communistische landen doet het antisemitisme, via de officiële propaganda, herhaaldelijk aanvallen op Israël. Men beschuldigt de Joden ervan dat zij in Israël hun 'ware vaderland' zien. Binnen de kortste keren volgen de communistische partijen overal ter wereld de koers van Moskou en vanaf het begin van de jaren vijftig staan ook zij vijandig tegenover de staat Israël.

Daartegenover is het beeld van Israël in het grootste deel van de Westerse wereld zeer positief tot aan het begin van de jaren tachtig en de Joden in de diaspora hebben daar ook profijt van. De Zesdaagse Oorlog tussen het land en zijn Arabische buren, in 1967, toont en versterkt de sympathie die Israël geniet buiten de Arabische wereld en zijn Sovjetgeallieerden. Het beeld van de kleine David, die aan het eind van een bliksemsnelle oorlog, de reus Goliath – de Arabische vijanden – overwint.

Israël is ook het land waarvan de geheime diensten in 1960 in staat blijken Adolf Eichmann, een van de hoofdverantwoordelijken voor de *Endlösung* die zich verborgen hield in Argentinië, te kidnappen en te ontvoeren zodat hij in 1961 in Jeruzalem berecht kan worden. Zijn proces trekt wereldwijde aandacht en draagt ertoe bij dat de genocide van de Joden doordringt in het universele bewustzijn.

Een nieuwe oorlog tussen Israël en zijn Arabische buren in 1973, de zogeheten Jom Kipoer Oorlog, roept weliswaar niet dezelfde sympathieën op als de Zesdaagse Oorlog, maar verandert het image van Israël niet wezenlijk. De 'schok van de oliecrisis', ten gevolge van de beslissing van de Arabische olielanden om de prijzen te verhogen teneinde zo druk uit te oefenen op de Westerse landen, roept eerder anti-Arabische gevoelens op, of versterkt die.

Maar de stichting van Israël is ten koste gegaan van de Palestijnen, velen van hen verblijven in miserabele kampen, aanvankelijk vooral in Jordanië, later ook in Libanon. Het Israëlisch-Palestijnse conflict komt in toenemende mate centraal te staan, zowel in de regio als op internationaal vlak. De wijze waarop de Palestijnse kwestie behandeld wordt door de Joodse staat wordt meer en meer problematisch.

Ga niet te snel! Je denkt dus dat het image van Israël goed is geweest tot in de jaren tachtig, en dat de Joden in de diaspora daarvan profijt hebben gehad?

Ja, en er is een heel scala van elementen die in dezelfde richting wijzen. In Frankrijk leeft tegenwoordig een relatief belangrijke Joodse bevolkingsgroep – de huidige omvang wordt geschat op ongeveer een half miljoen, van wie velen uit Noord-Afrika zijn gekomen na de dekolonisatie. Er waren belangrijke Joodse minderheden in Algerije, Tunesië en Marokko. Een deel van hen emigreert naar Israël, een ander deel naar Frankrijk.

Ze worden vaak verward met de zogeheten *Pieds-Noirs* (Noord-Afrikaanse Fransen), wat een betwistbare gelijkstelling is.

De Joden kunnen nu een zekere fierheid uitstralen, daarbij geholpen door het proces tegen Eichmann, dat in april 1961 begint, en door het Israëlische succes in de Zesdaagse Oorlog, in juni 1967. Die gebeurtenissen kenschetsen de transformatie die het mogelijk maakt dat ze meer en meer zichtbaar kunnen zijn in de publieke ruimte. Het is een goede tijd voor hen: in de Verenigde Staten, bijvoorbeeld, verdwijnt de tegen hen gerichte discriminatie, onder andere op de universiteiten.

Toch moet het drama van de Palestijnen gevolgen hebben gehad voor de publieke opinie.

Laten we eerst vaststellen dat antisemieten ook racisten zijn: het drama van de Palestijnen, die Arabisch zijn, raakt hen niet in het bijzonder. Vanaf de jaren zeventig bestaat er in Frankrijk een sterk anti-Arabisch racistisch sentiment. De oorlog in Algerije heeft sporen nagelaten en er werken in Frankrijk zwaar uitgebuite arbeiders die uit Noord-Afrika zijn geïmmigreerd, ze hebben amper een stem in het kapittel en worden door velen geminacht.

Bovendien wordt de strijd van de Palestijnen in die tijd vooral geassocieerd met het beeld van het internationale terrorisme, een terrorisme dat verwerpelijk wordt geacht en zelf antisemitisch is. In de loop van de Olympische Spelen van 1972 in München, neemt een

Palestijns commando, dat zichzelf 'Zwarte September' noemt, een groep Israëlische sportlieden in gijzeling en doodt een aantal van hen. Die barbaarse misdaad roept in de hele wereld scherpe afwijzing op.

Soms ageren ook groepen, die min of meer 'gesponsord' worden door Arabische staten, in naam van de Palestijnen op een uitgesproken antisemitische wijze. Je hebt misschien wel eens gehoord van de Venezolaanse terrorist Carlos (zijn echte naam is Illich Ramirez Sanchez), die nu in de gevangenis zit en voorheen leiding gaf aan een klein groepje terroristen, het Volksfront voor de Bevrijding van Palestina – Afdeling Externe Operaties. De moorden, aanslagen en gijzelingen van dat groepje worden gekenmerkt door haat tegen Israël, maar ook tegen Joden in het algemeen. Dat alles riep geen sympathie voor de Palestijnen op en leidde er veeleer toe dat Joden als slachtoffers werden gezien.

Toen op 3 oktober 1980 door een bom, die verborgen zat in de tas van een motorfiets, voor de synagoge in de rue Copernic in Parijs vier doden vielen en tienmaal zoveel mensen gewond raakten, kwam het publiek op grote schaal in beweging. Op 7 oktober hielden 200.000 mensen een demonstratie tussen de pleinen Nation en République in Parijs, dat was een duidelijke afwijzing van het antisemitisme. De publieke opinie is ervan overtuigd dat de aanslag het werk is van Frans rechtsextremisme, dat destijds uit diverse groepjes bestond. Pas veel later wordt bekend dat de daders uit het Midden-Oosten komen. Dat geldt ook voor degenen die in augustus 1982 het Joodse restaurant Goldenberg, in de rue des Rosiers in Parijs, onder vuur namen.

Waardoor is het image van Israël verslechterd?

In juni 1982 intervenieert het Israëlische leger in Libanon om een einde te maken aan de Palestijnse aanvallen vanuit dat land. Die operatie leidt ertoe dat de Palestijnse leider Yasser Arafat met zijn troepen Beiroet verlaat en zich in Tunesië vestigt. Maar de interventie heeft catastrofale gevolgen voor het image van Israël, dat weigert gehoor te geven aan resoluties van de Verenigde Naties die oproepen tot onmiddellijke en onvoorwaardelijke terugtrekking uit Libanon. Bovendien staat het Israëlische leger toe, en is het er misschien zelfs medeplichtig aan, dat Libanese milities (de christelijke falangisten) verschrikkelijke massamoorden aanrichten onder Palestijnen in de vluchtelingenkampen van Sabra en Chatila. Volgens schattingen vallen daarbij meerdere honderden tot enkele duizenden slachtoffers. Die barbaarse daden leiden, vooral in Frankrijk, tot het ontstaan van een grote antipathie ten opzichte van Israël.

De Israëli's worden in toenemende mate gezien als degenen die de Palestijnen een onrechtvaardig regime opleggen. Als in 1987 een volksopstand uitbreekt in de gebieden die Israël sinds 1967 bezet houdt – de Intifada, ook wel 'de oorlog met stenen' genaamd – neemt de sympathie voor de Palestijnen hand over hand toe. In die ongelijke strijd worden de beelden van de Zesdaagse Oorlog in zekere zin omgekeerd. Voortaan figureren de

Palestijnen, slechts gewapend met hun stenen, als David, die strijdt tegen Goliath – het Israëlische leger.

Maar hoe gaat men van kritiek op Israël over op antisemitisme?

Sinds de jaren tachtig is de kritiek op Israël steeds heftiger geworden en vaak neemt die een wending die onmiskenbaar antisemitisch is. Die kritiek hult zich meer en meer in het kleed van 'antizionisme' en betwist zelfs het bestaansrecht van een staat die toch erkend is door de Verenigde Naties. Het Palestijns-Israëlische conflict en de spanningen in het Midden-Oosten werken ook door in allerlei andere arena's en doen het antisemitisme herleven, vooral in landen met een aanzienlijke Joodse bevolkingsgroep, om te beginnen in Frankrijk, maar niet alleen daar.

Niet alleen daar?

In Argentinië, bijvoorbeeld, hebben twee verschrikkelijke aanslagen, in 1992 en in 1994, veel slachtoffers gemaakt. De eerste aanslag was op de Israëlische ambassade, de tweede op een gebouw van de Joodse gemeenschap van Buenos Aires. In die beide gevallen zijn de daders waarschijnlijk afkomstig geweest uit Iran of lid geweest van de Libanese Hezbollah, die nauwe banden heeft met Iran, het land dat sinds de islamitische revolutie in 1979 een felle antizionistische en antisemitische propagandacampagne heeft gevoerd.

Ik hoor vaak zeggen dat de Joden en Israël één pot nat zijn.

Die twee worden inderdaad geregeld op één lijn gesteld, ook ver buiten het Midden-Oosten. In het verlengde daarvan kun je zeggen dat naarmate het image van Israël negatiever of meer omstreden is, de vijandigheid ten opzichte van Joden in het algemeen toeneemt. De antisemieten zijn niet de enigen die daarvoor verantwoordelijk zijn. In de verbeelding van velen zijn het lot van de Joden in de diaspora en dat van de Joden in Israël vaak met elkaar verbonden, zowel in voorspoed als in tegenslag.

In 1967 is het merendeel van de Joden in de diaspora dat voorheen antizionistisch was, opgehouden dat te zijn. Ze zijn heel bang geweest voor de ondergang van de Joodse staat en hebben de mogelijke vernietiging daarvan als een catastrofe gevreesd. Voor de mannen en vrouwen die de Tweede Wereldoorlog hebben meegemaakt en die zich herinneren hoe de Joodse bannelingen door talloze landen werden afgewezen, werd het bestaan van een Joodse staat beschouwd als een toevluchtsoord voor het geval de verschrikkingen opnieuw zouden beginnen.

Maar men heeft toch wel het recht Israël te bekritiseren zonder dat men meteen als antisemiet wordt beschouwd?

Ja, vanzelfsprekend, en de Israëli's zelf behouden zich dat recht ook voor. Israël is een democratie en de media daar doen geregeld verslag van het bestaan van maatschappelijke spanningen, van lopende debatten, en van soms scherpe kritiek op de regering. Niet iedereen is bijvoorbeeld voorstander van de koloniseringspolitiek, die bestaat uit het vestigen van nederzettingen in de bezette Palestijnse gebieden. Ik kan er nog aan toevoegen dat ten tijde van de militaire operatie in Libanon in 1982 daar ook een sterke oppositie tegen bestond en zelfs een zeer kritische beweging, die zich 'Vrede nu!' noemde.

De kritiek is uiteraard legitiem. Maar het wordt problematisch als het om stellingnamen gaat waarin antizionisme en antisemitisme naadloos in elkaar overgaan, overigens zonder dat je helder kunt vaststellen wat er eerst was: haat tegen de Joden of tegen Israël.

Je krijgt soms de indruk dat alle kritiek op een geforceerde manier als antisemitisch van de hand wordt gewezen.

Je hebt gelijk. Degenen die Israël bekritiseren worden er soms wel erg snel van verdacht dat ze kritiek op Israël vermengen met haat tegen Joden. Er zijn instellingen, en soms ook Joodse intellectuelen of journalisten, die zo alert zijn op kritiek op Israël dat ze vervallen in overdrijving en mensen van antisemitisme verdenken of beschuldigen die gewoon alleen maar kritische meningen hebben.

Toch zou het niet al te moeilijk moeten zijn om de grens aan te geven: kritiek hebben op Israël is één ding, maar om daaruit de conclusie te trekken dat de politiek of het loutere bestaan van Israël een weerspiegeling is van het kwaadaardige karakter van de Joden als zodanig, is een heel andere zaak.

Maar zo gauw het over het Israëlisch-Palestijnse conflict gaat, lopen de hartstochten vaak hoog op en kunnen discussies ontaarden. Sommigen noemen bijvoorbeeld diegenen antisemieten, die betogen dat de Israeli's zich tegenover de Palestijnen gedragen als slechte kolonisatoren, als een soort nazi's, of die stellen dat 'het zionisme deels racisme met zich meebrengt'. Anderen zien daarin alleen maar polemische retoriek. Alles hangt af van de context van het betoog en van de nunceringen die worden aangebracht. Overigens zijn de argumenten lang niet altijd zo helder dat je zonder aarzeling de grens aan kan wijzen.

Er is ook nog een ander probleem. Je hebt gesignaleerd dat mensen vaak spreken van 'antizionistisch' in plaats van 'anti-Israëlisch'. Daar ligt een bron van verwarring. Het woord 'zionisme' verwijst naar het project, in het bijzonder belichaamd door Herzl, om een staat te stichten voor de Joden. Antizionistisch zijn, betekende dat je tegen dat project was. Maar nu is het gaan betekenen dat je tegen het karakter van die staat bent of zelfs, in de meest radicale vormen, het bestaan van die staat weigert te erkennen. Ik herinner je er nog maar eens aan dat dat bestaan erkend is door een besluit van de Verenigde Naties uit 1947.

Mensen hebben het vaak over de CRIF en dat die betogen dat Israël en de Joden altijd solidair moeten zijn met elkaar?

In Frankrijk heeft de CRIF (*Conseil represéntatif des instituti-*

ons juive de France, De vertegenwoordigende raad van de Joodse instellingen van Frankrijk) de Joden opgeroepen de Israëlische staat onvoorwaardelijk te steunen. Mensen die hun haat tegen de Joden vermengen met hun vijandigheid tegenover Israël hebben zich dat vertoog toegeëigend om hun eigen visie uit te dragen.

Maar als Israël een Joodse staat is, een staat voor de Joden, en niet voor anderen, is dat dan geen racistische staat? Als ik niet Joods ben, kan ik dan Israëlisch staatsburger worden?

De staat Israël heeft de wet op de terugkeer afgekondigd: elke Jood die dat wil, kan zonder verdere voorwaarden naar Israël komen en daar automatisch staatsburger worden, terwijl niet-Joden daarvoor toestemming moeten vragen. En wie is Joods? Het criterium dat daarvoor doorgaans naar voren wordt geschoven, is heel eenvoudig: je bent Joods als je moeder Joods is. Maar je kunt je bekeren tot het judaïsme, Joods worden, al is dat een moeilijk begaanbare weg.

Daar ligt zeker een probleem: het kind van een Joodse vader en een moeder die dat niet is, is zelf niet Joods, terwijl het kind van een Joodse moeder en een vader die dat niet is, wel Joods is! Persoonlijk heb ik er moeite mee dat principe, dat rechten en de volwaardige toegang tot het staatsburgerschap bepaalt, te aanvaarden.

Overigens zijn niet alle burgers van Israël Joods, de Israëlische Arabieren vormen ongeveer twintig procent van de bevolking. Dat zijn voor het merendeel Palestijnen, al zijn er ook Druzen en Bedoeïenen. In theorie hebben ze dezelfde rechten, maar in werkelijkheid worden ze gediscrimineerd en er vaak van verdacht de Palestijnse kaart te spelen tegen de Israëlische staat – ze worden vrijwel volledig uitgesloten van militaire dienst.

Hoe komt het dat de discussies in Frankrijk over de situatie in het Midden-Oosten zo vaak zo gepassioneerd zijn?

Dat heeft meerdere oorzaken. Aan de ene kant zijn de Fransen om historische redenen geïnteresseerd in alles wat met Israël te maken heeft: het is de bakermat van het christendom, Frankrijk is een geopolitieke macht die een rol speelt in dat deel van de wereld, en de Joden van Frankrijk volgen hartstochtelijk de actualiteit in het Midden-Oosten. Aan de andere kant heeft Frankrijk een aanzienlijke bevolkingsgroep van migranten en kinderen van migranten, die een Arabische en/of islamitische achtergrond hebben en die zich nauw betrokken voelen bij alles wat in het Midden-Oosten gebeurt.

Nog eens over de Shoah, over het negationisme en de *Shoah business*

Wanneer is men eigenlijk begonnen het zoveel over de Shoah te hebben?

In feite, en dat geldt zowel voor de Verenigde Staten als voor Frankrijk, om de twee Westerse landen te noemen waar nu de meeste Joden leven, wordt de genocide tot het einde van de jaren vijftig overwegend beschouwd als een aspect van een oorlog die ook heel veel andere slachtoffers had gemaakt. Het specifieke antisemitische karakter van de nazipraktijken blijft min of meer onderbelicht, ook al springt dat in het oog – het lezen van *Mein Kampf* volstaat om je daarvan te overtuigen. Aan de Shoah, zoals men later zal zeggen, wordt aanvankelijk weinig aandacht besteed in het publieke debat en de Joden zelf proberen de problematiek ook niet naar voren te brengen. De overlevenden zouden er vaak wel over willen praten, maar er wordt amper naar hen geluisterd, men vindt ze vervelend. Het is midden in de Koude Oorlog en als er al over de kwestie van het totalitarisme wordt gesproken, denkt men vooral aan de Sovjet-Unie.

Men begint pas echt over de vernietiging van de Europese Joden te spreken in de jaren zestig, in het kielzog van het proces tegen Eichmann. Overigens wordt het woord 'Holocaust', dat al in die tijd werd gebruikt, pas tegen het einde van de jaren zeventig meer gangbaar, en het woord 'Shoah', dat in Israël wordt gebruikt, wordt eerst in de jaren tachtig gemeengoed. In 1985 komt de documentaire *Shoah* uit die Claude Lanzmann over de vernietiging van de Joden door de nazi's heeft gemaakt. Die documentaire maakte grote indruk en droeg ertoe bij dat de term 'Shoah' meer algemeen gangbaar werd.

De Amerikaanse tv-serie *Holocaust*, die in 1978 in de Verenigde Staten wordt uitgezonden, laat zien dat het hele land gaat beseffen wat de nazibarbarij heeft betekend. In Frankrijk wordt het voortaan mogelijk de rampzalige rol van het Vichyregime en zijn antisemitisme aan de orde te stellen. Films en het werk van historici zorgen ervoor dat de genocide doordringt in het collectieve bewustzijn.

Dat toegenomen bewustzijn gaat ook functioneren als een sterke barrière tegen elke uiting van onverholen antisemitisme. Maar vanaf de jaren zeventig gaat dat gepaard met een negationistisch offensief, aangevoerd door mensen die de systematische vernietiging van de Joden door de nazi's ontkennen.

Zeggen dat je twijfels hebt over de realiteit van de Shoah of dat die niet heeft plaatsgevonden, is dat antisemitisme?

Jazeker. Ik geef je een beslist antwoord. Sommigen beweren dat de Shoah niet heeft plaatsgevonden, anderen zeggen dat die niet zo massaal en niet zo systematisch is geweest. Enkelen beweren dat de gaskamers nooit bestaan hebben, alleen in de verbeelding van de Joden.

Het negationisme is overigens niet alleen kenmerkend voor de Shoah. Het komt bij alle genociden voor, vanaf de Armeense genocide tot en met die van de Tutsi's in Rwanda. De criminelen spannen zich in om de sporen van hun misdaden uit te wissen en zeggen dat die nooit hebben plaatsgevonden. Vervolgens vallen anderen hen om politieke redenen bij.

In Frankrijk vind je er de eerste tekenen van in de jaren zestig. Ze zijn afkomstig uit de pen van een voormalig socialistisch parlementslid, een felle anticommunist en voormalig gedeporteerde, Paul Rassinier, die een heel merkwaardig parcours heeft gevolgd. Rassinier heeft de barbarij van de nazi's willen minimaliseren om de verschrikkingen van het bolsjewisme des te scherper te doen uitkomen. Hij beweert dat de uitroeiing van de Joden een uitvinding is van de Israëlische staat om almaar meer geld te krijgen van de Duitsers, in naam van de schadeloosstelling van de Joodse slachtoffers van het nazisme. Maar die hersenspinsels vonden toen geen enkele weerklank.

In 1978 keert het thema terug in het publieke debat als de voormalige Commissaris voor Joodse Zaken van het Vichyregime, Louis Darquier de Pellepoix, uitgeweken naar Spanje, in het tijdschrift *L'Express* laat weten dat 'men in Auschwitz uitsluitend luizen heeft vergast'. Twee jaar later probeert een literatuurspecialist van de universiteit, Robert Faurisson, in een interview op radio *Europe 1*, dat te overtreffen. Ik citeer je zijn beweringen: 'De zogenaamde massamoord op de Joden en het vermeende bestaan van gaskamers zijn uitsluitend onderdeel van een en dezelfde politiek-financiële oplichterij, waar de staat Israël en de internationale zionistische beweging het voornaamste profijt van trekken, terwijl het Duitse volk, uitgezonderd zijn leiders, en het Palestijnse volk er de voornaamste slachtoffers van zijn'.

In deze serie beweringen worden verbanden gelegd tussen het aloude thema van de Joden die op geld uit zouden zijn, het thema van de mondiale Joodse samenzwering, hier hernoemd als 'de internationale zionistische beweging', en de Palestijnse zaak.

Maar dat is volslagen krankzinnig!

Wat je zegt. Maar sindsdien is een negationistische dynamiek op gang gekomen, met steun van ultra-linkse militanten en – zij het met enig voorbehoud – van de grote Amerikaanse taalgeleerde Noam Chomsky en, nog later, met het betreden van de arena door een oude communistische leider, Roger Garaudy, die destijds ook een vrij bekende filosoof was. Garaudy beklaagt zich erover dat degenen die over de Shoah spreken 'gehersenspoeld' zijn. Hij krijgt de steun van – hou je vast! – Abbé Pierre, van wie men zegt dat hij nog steeds het oude christelijke anti-judaïsme vertegenwoordigt, wat hij overigens zelf heeft tegengesproken. Toen de polemiek eenmaal op gang kwam, is Abbé Pierre spoedig naar de achtergrond verdwenen, hij wekte vooral de indruk van een man die verdwaald was in een ideologisch en politiek dossier dat hij onvoldoende beheerste.

Wat deed ultra-links in dit verband?

Die uitwas kan verklaard worden door de solidariteit met de Palestijnse zaak, maar je ziet ook de oude antisemitische thema's terug van de socialisten uit de negentiende eeuw: de identificatie van Joden met het kapitalisme en met geldzaken. Vervolgens is het negationisme vooral overgenomen in het Midden-Oosten, waar het een propagandamiddel is geworden.

En profiteert extreemrechts van deze thematiek?

In het midden van de jaren tachtig weet het Front National, dat dan geen klein groepje meer is maar een politieke partij is geworden, een antisemitisch parool af te geven dat een zekere mate van politieke ruimte krijgt. Jean-Marie Le Pen bindt de strijd aan met verschillende journalisten, die een Joodse achtergrond gemeenschappelijk hebben, en die hij met hun namen aanduidt als 'de leugenaars van de pers in dit land' en 'de schandvlek van de beroepsgroep'. In 1985, als de film *Shoah* uitkomt en daar in de pers veel over geschreven wordt, zegt hij dat de gaskamers slechts 'een detail van de Tweede Wereldoorlog' zijn en een jaar later veroorlooft hij zich een kwaadaardig naamgrapje over minister Durafour – 'Crematorium Durafour'.

Vanwaar die provocaties?

Om beter gehoord te worden, heeft de haat tegen de Joden er behoefte aan de bescherming te doorbreken, die tot dan toe is uitgegaan van het indrukwekkende beeld van de Shoah. Vandaar de provocaties. Teneinde die bescherming teniet te doen, bedient het antisemitisme zich sinds de jaren negentig ook van een nieuw argument, waarbij de zogeheten *Shoah business* of 'Holocaust industrie' wordt aangeklaagd.

Wat betekent dat precies?

Het gaat om het idee dat de Joden economisch, maar ook politiek en symbolisch, profiteren van de genocide. Dat roept dan associaties op met hun vermeende buitenproportionele geldzucht, hun boven alles gaande hebzucht. Daarom zouden ze van de Holocaust een zeer rendabele industrie hebben gemaakt. Dat idee is uiteraard kenmerkend voor een antisemitisch vertoog.

De these van de *Shoah business* heeft een zekere weerklank gevonden na de val van de Berlijnse Muur, toen de kwestie veelvuldig besproken werd in het publieke debat. Het ging destijds over de beroving van de Joden tijdens de oorlog – de Joden achter het IJzeren Gordijn hadden nooit enige schadeloosstelling ontvangen – en over bezittingen die, bij ontstentenis van erfgenamen, nooit waren overgedragen, zoals bijvoorbeeld het geld van vermoorde Joden dat na de oorlog op Zwitserse banken was blijven staan.

Wat moest er gebeuren wanneer bepaalde geroofde

bezittingen zich in musea bevonden, of eigendom waren van particulieren die ze ooit in goed vertrouwen hadden aangekocht, of als het onmogelijk bleek voor een deel van die bezittingen nog rechthebbenden te vinden? Dat is een heel felle discussie geweest, inmiddels is de kwestie min of meer geregeld. In Frankrijk is in 2000 de *Fondation pour la mémoire de la Shoah* (Stichting ter herinnering aan de Shoah) opgericht met geld dat afkomstig was uit tijdens de oorlog geroofde fondsen, waarvan men de erfgenamen niet meer heeft kunnen terugvinden of waarvan de rechthebbenden verdwenen zijn.

Klopt er helemaal niks van die beschuldigingen van 'Shoah business'?

Zoals zo vaak, moet je een grens weten te trekken tussen kritiek die nader onderzoek en discussie verdient, en beweringen die enkel en alleen getuigen van antisemitisme. Het is waar dat het vooropstellen van de Shoah samen kan gaan met misbruik. Dat is op een uitgesproken polemische wijze naar voren gebracht door Norman Finkelstein, zelf een zoon van een overlevende. In 2000 heeft hij een veronderstelde 'Holocaust industrie' aan de kaak gesteld, die zou proberen geld uit Europa te krijgen, in het bijzonder ten behoeve van Amerikaanse Joodse organisaties, en die de Shoah zou instrumentaliseren ten bate van de staat Israël.

Je hoort vaak zeggen dat men 'betaalt voor de Joden' en niet voor de afstammelingen van slaven. Maar wie

heeft eigenlijk 'betaald' aan de Joden?

Na de oorlog heeft Duitsland schadeloosstellingen betaald aan staten waarvan goederen geroofd waren en is het overgegaan tot uitkeringen aan individuele mensen die als slachtoffer van het nazisme werden erkend. Wanneer ze bijvoorbeeld beroofd waren van hun staatsburgerschap en ze niet door een andere staat waren opgenomen – dat gold in Frankrijk voor veel Joodse migranten die in de jaren twintig en dertig waren gekomen. Joodse organisaties en Israël, dat een half miljoen vluchtelingen had opgevangen, hebben daarvoor vergoedingen ontvangen. De Franse staat betaalt pensioenen aan overlevenden van de deportaties, aan andere oorlogsslachtoffers en aan wezen.

Je hebt gelijk dat zulke vergoedingen tot op heden niet betaald zijn aan nakomelingen van zwarte slaven en slachtoffers van de slavenhandel – die kwestie wordt tegenwoordig aan de orde gesteld.

Intussen heeft het antisemitische vertoog zich vernieuwd in de jaren tachtig en negentig, overigens zonder dat de klassieke thema's uit de ideologische erfenis van extreemrechts en het christelijke idee van de 'godsmoordenaars' helemaal zijn verlaten. Tot op de dag van vandaag vind je er uitingen van, ook buiten het Front National en andere extreemrechtse groepen.

Zoals bijvoorbeeld?

De schrijver Renaud Camus heeft er in zijn 'dagboek' van 1994 over geklaagd dat een uitzending van het radioprogramma *France Culture* georganiseerd was door Joden die zichzelf systematisch als zodanig presenteerden. De krant *Le Parisien* heeft grappig bedoelde nieuwe woordspelingen voorgesteld, bijvoorbeeld 'genocide' voor 'slagersgroothandel' en '*youpine*' voor 'Jodin'.

Youpine?

Dat is de vrouwelijke vorm van 'youpin', een woord dat door antisemieten wordt gebruikt om Joden aan te duiden.

Het 'nieuwe antisemitisme': een geglobaliseerd antisemitisme

Waarom lijken bepaalde Fransen met een migratie-achtergrond, en dan vooral jongeren, verleid te worden door antisemitische vertogen?

De geïmmigreerde bevolking, oorspronkelijk afkomstig uit Noord-Afrika, is in de jaren vijftig en zestig sterk van karakter veranderd. Aanvankelijk ging het vooral om immigratie van mannen: alleenstaande mannen, die naar Frankrijk kwamen om ongeschoold werk te doen, bijvoorbeeld als handarbeiders in fabrieken. Zij wilden zo spoedig mogelijk geld opzij zetten, om daar dan later weer mee terug te keren naar het land van herkomst. Maar vanaf het midden van de jaren zeventig kunnen migranten profiteren van gezinshereniging. Ze hebben er merendeels voor gekozen in Frankrijk te blijven, vrouwen en kinderen te laten overkomen, of hier een gezin te stichten. In diezelfde tijd is in de industrie ongeschoold werk steeds minder belangrijk geworden. Immigranten hebben daardoor meer dan anderen te maken met werkloosheid, ze krijgen forse klappen door de economische crisis en ze staan bloot aan racisme en discriminatie. En ze bevolken massaal bepaalde buurten van de steden, die in extreme gevallen getto's worden.

Ik zie niet in wat dat te maken heeft met antisemitisme.
Het is heel eenvoudig. Binnen die bevolkingsgroepen kunnen twee min of meer logische redeneringen leiden tot haat tegen Joden.

Ten eerste, de identificatie met de Palestijnen. Vanuit dat perspectief bezien, worden mensen met een achtergrond van immigratie grotendeels uitgesloten, gediscrimineerd, onderworpen aan politiecontroles op grond van hun uiterlijk, en arm gehouden. Die mensen leggen een verband met de Palestijnen, die gedwongen worden in bepaalde gebieden te leven, die op afstand worden gehouden door een gehaat leger, vernederd worden en onderworpen zijn aan controles, als ze Israël al binnen kunnen komen, of als ze daar leven.

Ten tweede is er de verleiding van het radicale islamisme binnen de islamitische bevolkingsgroepen. Sommigen voelen zich aangetrokken tot een vertoog dat behelst dat er een genadeloze strijd bestaat tussen het Westen, onder Noord-Amerikaanse leiding, en de islam. In die strijd zouden de Joden een beslissende rol spelen in de Verenigde Staten en in Israël, dat beschouwd wordt als een voorpost van het zozeer gehate Westen in het Midden-Oosten.

In Frankrijk, en elders, wordt het nieuwe antisemitisme gedragen door migranten die overwegend arm zijn en gediscrimineerd worden. Dat is een enorme verandering en zelfs enigszins paradoxaal: ze sluiten zich met hun Jodenhaat aan bij extreemrechtse of nationalistische Fransen, die op hun beurt een grondige afkeer hebben van Arabieren, en Zwarten minachten!

Ideologisch gezien hebben ze ook raakvlakken met een zekere extreemlinkse stroming, waar ik het al eerder over had. Daarbinnen wordt Israël op radicale wijze bekritiseerd, men noemt zich 'antizionistisch', verwerpt de koloniale overheersing waar de Palestijnen onder lijden en de Israëlische politiek ten opzichte van de Palestijnen. Die linkse stroming wordt antisemitisch als er geen onderscheid meer wordt gemaakt tussen Joden en Israël, en beide samen op ongenuanceerde wijze worden beschouwd als het absolute kwaad.

Zijn dat degenen die het verhaal rondstrooien dat de aanslagen van 11 september 2001 een complot zijn geweest van de Mossad en de CIA?
Die nieuwe versie van de Joodse wereldsamenzwering is een volslagen onzinnig verhaal. De voornaamste organisator van die aanslagen, Osama bin Laden, de leider van Al Qaida, een razende antisemiet, die de aanslagen heeft opgeëist en er van alles over verteld heeft, zou dus gemanipuleerd zijn door Joden! Bin Laden en Al Qaida zouden in de val zijn gelokt door Joden? Of zelfs door hen zijn aangestuurd? De geruchten en de paranoïa zijn hier wel heel ver doorgedreven.

Is er een bundeling van krachten tussen alle vormen van antisemitisme: van extreemlinks, extreemrechts, en van nakomelingen van migranten?
In het begin van het afgelopen decennium was er een

golf van antisemitisme met tamelijk ernstige incidenten, vooral agressieve acties tegen Joden, antisemitische
graffiti, en grafschendingen op Joodse begraafplaatsen.
Sommige waarnemers hebben toen gedacht dat er sprake was van een zekere toenadering tussen islamisten en
groepjes van radicaal antizionistisch links, ze hebben er
zelfs een naam voor bedacht: 'islamo-progressivisme'.

In werkelijkheid bestaat dat amper of slechts in ui-
terst zwakke vorm. De drie stromingen die je noemt,
onderhouden onderling vrijwel geen contacten, maar
ze gaan wel samen voor zover ze een antisemitisme uitdragen dat tegelijkertijd een antizionisme is.

Heeft men het recht om antisemitische beweringen te doen in Frankrijk?

Antisemitisme is, zoals alle vormen van racisme, straf-
baar bij de wet en we hebben geregeld processen waarbij
een militant, een journalist of een tijdschrift, een schrijver of een redacteur vervolgd wordt op grond van zijn
uitlatingen of geschriften. Er bestaat een arsenaal van ju-
ridische middelen om antisemitisme te bestrijden. Sinds
de Wet Gayssot van 1990 is het bijvoorbeeld mogelijk om
gevallen van negationisme voor het gerecht te brengen.
Een wet uit 2003 bepaalt dat 'een overtreding, die voor-
afgegaan is, dan wel gepaard gaat met, of gevolgd wordt
door beweringen, geschriften, beelden, voorwerpen of
handelingen' met een antisemitisch karakter (of met een
racistisch of xenofoob karakter) bestraft kan worden met
zware sancties, afhankelijk van eventueel 'verzwarende
omstandigheden'.

Als je uitlegt wat antisemitisme is, plaats je het steeds in de context van het ene of het andere land. Maar uiteindelijk is het een mondiaal verschijnsel.

Zeker. Een paar jaar geleden heb ik een dossier van omstreeks duizend pagina's in handen gehad dat samengesteld was door een tijdschrift op internet (www.procheorient.info), dat later verdwenen is. Dat dossier bestond uit krantenknipsels en uittreksels van de inhoud van antisemitische sites uit het Midden-Oosten. Je kunt er van alles in vinden. De Joden worden beschuldigd van rituele misdaden, bijvoorbeeld met als doel de etnische zuivering en vernietiging van het Palestijnse volk – dat is de inbreng van het middeleeuwse christendom. Je vindt er ook negationisme – dat is een duidelijk Franse inbreng, met als contrapunt de bewering dat een 'echte holocaust' wordt begaan tegen het Palestijnse volk. *De Protocollen van de Wijzen van Zion* worden er veelvuldig aangehaald – dat is de bijdrage van het tsaristische Rusland. Er wordt ook beweerd dat er een geheime en duivelse organisatie is, die bestaat uit 'driehonderd duivels of vertegenwoordigers van Satan' – een variant die de obsessie met complotten, van het type van de *Protocollen*, combineert met het oude religieuze anti-judaïsme. Joden zouden geneigd zijn tot extreem geweld, terwijl ze tegelijkertijd lafaards en hypocrieten zouden zijn, ze zouden geboren verraders zijn. Ze zouden de media beheersen, de dominantie van de Verenigde Staten over de wereld belichamen, terwijl ze tegelijkertijd diezelfde Verenigde Staten van binnenuit in het geheim zouden overheersen en in het verderf zouden willen storten, ze zouden er heimelijk op uit zijn de wereld te regeren en die dan tot verval willen brengen. De Holocaust zou een 'winstgevende' handel zijn – een inbreng uit de Verenigde Staten, ik noemde je al het boek van Finkelstein.

Maar alles is onwaar in zulke onzinnige beweringen!

Bijna alles, maar in zulke uiteenzettingen worden kleine kernen van waarheid opgenomen, die het betoog als geheel in de ogen van sommigen een schijn van geloofwaardigheid kunnen geven. De haat steunt soms op die kleine kernen – en verdraait ze vervolgens. De Joodse lobby AIPAC, die de belangen van Israël in de Verenigde Staten behartigt, wordt bijvoorbeeld gebruikt om de kwaadaardige greep van Joden op Amerika te illustreren. Nou is die lobby geen bedenksel: hij bestaat wel degelijk en is ook invloedrijk. Maar in de Verenigde Staten bestaan talloze lobby's – er is trouwens ook een Palestijnse lobby – en die maken deel uit van het gewone, legitieme spel van de politieke instellingen in Amerika. Bij het Congres in Washington staan meer dan tienduizend lobby's ingeschreven, het zijn pressiegroepen in alle domeinen van het economische, culturele, sociale en politieke leven, en er zijn er nog veel meer, al even legitiem, die niet geregistreerd zijn. Een groot bedrijf bijvoorbeeld zal vaak een beroep doen op een of meerdere lobby's om zijn belangen te verdedigen. Wanneer met het nodige misbaar wordt gewezen op de AIPAC, is dat dus geen ondergrondse, illegale, verderfelijke actiegroep die het kwaadaardige karakter van de Joden bewijst, maar heb je het over een lobby die zich, zoals duizenden andere, inspant om de eigen gezichtspunten ingang te doen vinden onder politici of bij de Amerikaanse regering.

Het antisemitisme is volkomen onsamenhangend, maar dat brengt de antisemieten niet in verlegenheid. Alles vindt zijn plaats in het antisemitische vertoog, de haat tegen de Joden voedt zich met tegenstrijdige argumenten. En die argumenten, die afkomstig zijn uit de meest verschillende hoeken, worden allemaal samengenomen en circuleren op mondiaal niveau, daar heb je gelijk in.

Is die mondiale verspreiding georganiseerd?

Niet noodzakelijkerwijze, maar het kan wel het geval zijn, bijvoorbeeld door groepjes van extreemrechts of van islamisten. De verspreiding kan plaatsvinden dankzij moderne informatie- en communicatietechnologie, om te beginnen met internet, maar ook via sociale netwerken, mobiele telefoons, of via schotels die het mogelijk maken televisiekanalen uit de hele wereld te ontvangen. Tegenwoordig kun je zonder veel moeite *De Protocollen van de Wijzen van Zion* of *Mein Kampf* kopen of downloaden, of toegang krijgen tot films en tv-programma's die door en door antisemitisch zijn. Daar is bepaald geen tekort aan, ze worden vooral uitgezonden door sommige landen in het Midden-Oosten, Iran bijvoorbeeld. En dat alles kan dus vanaf lange afstand het vertoog van de haat voeden, zonder het minste risico voor degenen die dat soort propaganda van internet willen vissen.

Maar kan die verspreiding niet verboden worden of tenminste teruggedrongen?!

Dat is vrijwel onmogelijk, of in elk geval heel moeilijk. Het zou ook botsen met een belangrijke waarde, die tegenwoordig hoge ogen lijkt te gooien, vooral onder jongeren, namelijk met de vrijheid van meningsuiting. Hoe zou je internet moeten verbieden of controleren, terwijl het ook een formidabel werktuig is van de vrijheid en de emancipatie? Hoe zou je kunnen zeggen: we gaan het verspreiden van antisemitische beweringen belemmeren, maar wel degenen ondersteunen die strijden tegen een autoritair regime of een dictatuur, die juist probeert hun de toegang tot internet te ontnemen?

Het internet faciliteert het gewoon worden van overtredingen en hun decriminalisering: aan de ene kant maakt het de verspreiding van haatvertogen in alle windrichtingen mogelijk, inclusief de vormen van haat die zich als humoristisch presenteren, en aan de andere kant kunnen die haatvertogen zich voordoen als behorend tot een cultuur van vrije meningsuiting zonder grenzen, die het mogelijk maakt van alles te beweren. Het antisemitisme, verboden in de publieke ruimte, heeft er voet aan de grond gekregen en is geen taboe meer, het is opgehouden crimineel te zijn.

In onze tijd is voor velen het antisemitisme een mening geworden als een andere. Men kan lachen om de Shoah, zeggen dat de gaskamers niet bestaan hebben, en dat heeft dan geen enkele consequentie. Het voornaamste is om onderwijs te geven, om de geesten te wapenen tegen het antisemitisme dat circuleert in de digitale ruimten.

Bedoel je dat de school een belangrijke rol zou kunnen spelen?

Zeer zeker. Waar anders zou je de geesten zo kunnen vormen dat ze in staat zijn alle kwalijke zaken, dwaalleren en irrationele buitensporigheden, die overal de ronde doen, te doorzien? En voor alles moet het onderwijs uiteraard trouw blijven aan zijn missie en geen plaats gunnen aan het antisemitisme, noch aan enige andere vorm van racisme.

Vastgesteld is dat Joodse kinderen soms bedreigd worden op school, dat antisemitische scheldwoorden vaak voorkomen, en dat graffiti van het type 'Dood aan de Joden!' of hakenkruisen, het symbool van het nazisme, soms de muren ontsieren. Daartegenover is absolute onverzettelijkheid geboden, zoals tegenover alle uitingsvormen van racisme of seksisme.

Maar men zegt dat er klassen zijn waar leraren het niet over de Shoah of over Israël kunnen hebben zonder dat er keet uitbreekt en incidenten plaatsvinden.

Het wordt openbare scholen, lycea en gymnasia, vaak verweten dat er uitvoerig aandacht wordt besteed aan de Joodse genocide, zonder dat er evenveel belang wordt gehecht aan andere historische verschrikkingen. In theorie ontvangt de openbare school leerlingen die van meet af aan geacht worden hun sociale en culturele bijzonderheden terzijde te laten, om te leren, net als alle anderen en samen met die anderen. Maar als je bijvoorbeeld van Afrikaanse oorsprong bent, zul je misschien andere dingen verwachten dan wat er op school gezegd wordt over de Franse kolonisatie. En als je van de Antillen komt, zul je misschien willen dat er meer en beter aandacht wordt besteed aan de slavenhandel, of dat aspecten van de tijd van Napoleon I worden behandeld die niet in de schoolboeken staan – voor een Haïtiaan was hij een grotere misdadiger dan Hitler! Sinds de jaren zeventig zijn we aanbeland in een tijd van concurrentie tussen slachtoffergroepen. En elke groep vraagt erom dat, al naar gelang de specifieke omstandigheden, erkend wordt dat die groep in het verleden slachtoffer is geweest van een genocide, van slavernij, van de slavenhandel, van massaal geweld.

Laten we zeggen dat het voor leerkrachten soms moeilijk is rustig de confrontatie aan te gaan met zulke uitdagingen! Hoe moet je geschiedenis geven als er geen gemeenschappelijke geschiedenis meer is en iedereen eist dat vooral zijn of haar eigen geschiedenis bestudeerd moet worden?

Dat wil zeggen dat iedereen zou willen dat er gepraat wordt over het lijden van zijn of haar eigen voorouders?

**Maar waarom ook niet? De Joden hebben geen mono-
polie op lijden!**

Nee, natuurlijk niet. Maar het is een raar argument om
de Joden ervan te beschuldigen dat ze zich dat monopo-
lie zouden willen toe-eigenen en alles zouden doen om
ervoor te zorgen dat er geen aandacht wordt besteed
aan andere collectieve ervaringen dan de hunne. Het
antisemitisme is dan zelden ver weg en degenen die
zo'n betoog ontwikkelen, willen de concurrentie tussen
de slachtoffergroepen aanwakkeren om ze zo uit elkaar
te spelen. Die valstrik moet vermeden worden.

Je hoort soms zeggen dat op school alleen aandacht
zou worden besteed aan de Joden en de Shoah. Maar
je hoeft alleen maar de onderwijsprogramma's van de
middelbare scholen te bekijken, om te beseffen dat dat
onjuist is en wel degelijk ook de slavernij, de koloniale
oorlogen en de dekolonisatie aan de orde komen. En afgezien van Jean-Marie Le Pen, die de Shoah een 'detail'
van de Tweede Wereldoorlog noemt, wie zou er verder
durven beweren dat die oorlog een onbelangrijke gebeurtenis is?

**Soms wordt gezegd dat de Joden de slavenhandel
hebben georganiseerd. Is dat waar?**

Dat is weer een leugen erbij. Het antisemitisme boekt
vooruitgang als men de Joden ervan beschuldigt dat
zij op grote schaal hebben bijgedragen aan zulke verschrikkingen. In Frankrijk heeft door zulke beschuldigingen recent een zwakke uitbraak plaatsgevonden

van een verschijnsel dat soms 'zwart antisemitisme' wordt genoemd. In de Verenigde Staten is het al bijna een eeuw een invloedrijk fenomeen, al in 1920 werd een campagne gevoerd die Zwarten opriep om Joodse winkels te boycotten: 'Koop zwart!'

Dat antisemitisme onder Amerikaanse Zwarten is vanaf het eind van de jaren tachtig voortgezet met beweringen dat Joden een doorslaggevende rol zouden hebben gespeeld in de slavenhandel en in het slavernijsysteem. De New Yorkse universitair docent Leonard Jeffries heeft die ideeën gelanceerd tijdens zijn cursussen en daarna zijn ze overgenomen door *The Nation of Islam* (De natie van de islam), een zwarte islamitische beweging, onder leiding van Louis Farrakhan. Uiteindelijk zijn ze overgewaaid naar Frankrijk, ook al waren ze al verworpen door vooraanstaande zwarte Amerikanen, onder wie de beste academici, zoals Henry Louis Gates, die deze ideeën heeft afgewezen omdat ze gebaseerd zijn op historische fantasieën en vérgaand antisemitisme.

Denk je aan de cabaretier Dieudonné?

Hij heeft er zeker aan bijgedragen dat die ideeën in Frankrijk zijn geïmporteerd vanaf het begin van deze eeuw. Het aanwakkeren van de concurrentie tussen slachtoffergroepen is deel van het succes van Dieudonné, de humorist die sindsdien met zijn theatervoorstellingen de sympathie van verschillende bevolkingsgroepen weet op te roepen. Groepen die afkomstig zijn uit Noord-Afrika, uit Afrika bezuiden de Sahara, soms ook van de Antillen. Ze hebben niets meer te maken met het klassieke antisemitisme van nationalisten, christenen of extreemrechts, maar vinden elkaar in een gedeelde haat tegen Joden, die verantwoordelijk zouden zijn voor hun historische rampspoed en vandaag de dag zouden verhinderen dat daarover gepraat wordt – het is een onjuiste voorstelling van zaken.

Ik meen dat Jean-Marie Le Pen en het Front National wel waardering hebben voor Dieudonné? Maar ik kan me nauwelijks voorstellen dat ze geneigd zouden zijn de kolonisering te veroordelen!

Het een sluit het ander niet uit: de haat tegen de Joden verenigt individuen en groepen die in alle andere opzichten volledig met elkaar van mening kunnen verschillen.

Hoe staat het met het hedendaagse antisemitisme? Kan het gemeten worden?

Kun je me vertellen hoeveel mensen antisemiet zijn? Is het een massaal of een marginaal verschijnsel?

Het is mogelijk antisemitisme op verschillende manieren te meten en elk van die manieren kent zijn eigen beperkingen. Je kunt bijvoorbeeld geïnteresseerd zijn in gewelddaden, of in vooroordelen, in vormen van discriminatie, in schendingen van religieuze plaatsen of begraafplaatsen, enzovoorts. Ik zal je uitleggen hoe het onderzoek in Frankrijk ervoor staat.

Allereerst het meten van geweld. Daarin is grote vooruitgang geboekt sinds het begin van deze eeuw. Toen vond een forse uitbarsting van antisemitische acties plaats, gerelateerd aan de tweede Intifada, de 'opstand met stenen' van september 2000. Die vestigde opnieuw de aandacht op de Palestijnse zaak en ondervond veel sympathie van de kant van jongeren met een immigratieachtergrond uit de Maghreb. Er was verbale en fysieke agressie tegen individuele personen, er werd met brandbommen gegooid, gebouwen van Joodse instellingen, Joodse privéscholen en religieuze plaatsen werden geschonden, er verschenen haatgraffiti, enzovoorts – nog afgezien van wat er op internet circuleerde.

Tegenwoordig worden door het ministerie van Binnenlandse Zaken en door Joodse instellingen elk jaar cijfers gepubliceerd. Grof gezegd komen die erop neer dat elk jaar enkele honderden 'incidenten' worden geregistreerd. In sommige jaren is sprake van een lichte daling, in andere van een lichte stijging. Het algemene beeld is dat na het hoogtepunt van het begin van deze eeuw de gewelddadigheden relatief zijn afgenomen. Maar sommige zijn heel ernstig. Ik herinner je aan de twee meest dramatische.

De eerste was de moord op Ilan Halimi in 2006, een jongeman die ontvoerd werd door de zogeheten 'bende van barbaren', geleid door Youssouf Fofana. Hij werd opgesloten onder extreem slechte omstandigheden omdat hij Joods was (ze dachten dat zij geld van zijn familie of van de Joodse gemeenschap zouden kunnen afpersen). Halimi werd gemarteld en uiteindelijk voor dood achtergelaten door zijn ontvoerders, die geen losgeld ontvingen.

De tweede dramatische gebeurtenis was de moord in Toulouse in maart 2012 op drie kinderen en een Joodse onderwijzer, vlak voor hun school. De dader, Mohammed Merah, was een radicale islamist. Dat herinnert er ons in het voorbijgaan nog eens aan dat het islamistische terrorisme in hart en nieren obsessief antisemitisch is.

Wat de minder ernstige geweldsdelicten betreft, is de nodige voorzichtigheid geboden. Aan de ene kant vallen ze niet altijd te tellen, bijvoorbeeld omdat ze niet worden aangegeven, en aan de andere kant is niet elke gewelddaad tegen een Jood een uiting van antisemitisme. Als een Joodse dame wordt beroofd van haar handtas in een straat in Sarcelles, een stad waar een aanzienlijke Joodse gemeenschap woont, is dat dan een antisemitische daad of simpelweg een gemene streek, een diefstal? Je moet er dan meer van weten voordat je een grens kunt trekken.

Je hebt het vaak over vooroordelen gehad, zijn die meetbaar?

Alleen maar tot op zekere hoogte. Er zijn opiniepeilingen waarin aan een representatieve steekproef uit de bevolking vragen worden voorgelegd als de volgende: 'Bent u het eens met de uitspraak: Joden zijn Fransen zoals anderen?' Die opiniepeilingen bevestigen wat ik je al eerder zei: de Holocaust is geen taboe meer zoals vroeger. Ze laten zien dat een klassiek antisemitisme nog altijd bestaat, vooral onder oudere mensen, binnen weinig geschoolde en volkse milieus, die meer rechts dan links stemmen.

Maar opiniepeilingen laten niet zoveel conclusies toe. Je weet niet – de eerste mogelijke interpretatie – of de ondervraagde personen meer (of minder) antisemitisch zijn, of dat ze – tweede mogelijke interpretatie – meer (of minder) geneigd zijn om zich in dat opzicht uit te spreken. En opiniepeilingen verschaffen geen precieze cijfers, want ze hebben betrekking op te kleine steekproeven – meestal rond de duizend mensen – om conclusies

te kunnen trekken over bepaalde sociaal en cultureel af-
gegrensde groepen, zoals bijvoorbeeld immigranten uit
de Maghreb of Antillianen die in de hoofdstad wonen.
Daarom is het moeilijk het nieuwe antisemitisme, dat
eigen is aan een beperkt percentage van de bevolking, in
te schatten, althans via opiniepeilingen.

Over het geheel genomen, getuigen slechts lage per-
centages van sterk antisemitische vooroordelen. Frankrijk slaat daarbij geen slecht figuur, soortgelijke opiniepeilingen in Spanje, in Hongarije en Polen wijzen op
meer verontrustende resultaten.

Zijn er nog andere dingen te meten naast gewelddadig-heden en vooroordelen?

Vormen van discriminatie ten opzichte van Joden in
Frankrijk worden niet gemeten, simpelweg omdat ze vrijwel niet bestaan, of niet meer bestaan. Het is niet moei-
lijker om aan woonruimte te komen, werk te vinden, een
horecagelegenheid binnen te komen, of zelfs om kosjer
eten te krijgen in de gevangenis, omdat je Joods bent. Er
is ook geen segregatie van Joden in het publieke leven en
als ze soms zichtbare gemeenschappen vormen, zoals in
Sarcelles, waar ik al eerder op wees, of in Créteil, dan is
dat hun eigen keuze.

Een bijzonder fenomeen, dat al een lange geschiedenis kent, vindt daarentegen geregeld plaats: het schen-
den van graven. Dat gebeurt vaak in een opeenvolgende
reeks, alsof de berichtgeving in de media over een eerste geval, anderen op het idee brengt hetzelfde te gaan

doen. In het merendeel van de gevallen die in Frankrijk opgehelderd zijn, blijkt het te gaan om extreemrechtse jongeren, neonazi's of skinheads, die bijvoorbeeld hakenkruisen schilderen op Joodse grafstenen. Die praktijken worden door het Front National nooit gedekt, ondanks hun band met het oude antisemitisme. Ze hebben zich er veelvuldig over beklaagd dat ze ten onrechte gestigmatiseerd zijn in verband met een incident in Carpentras. In 1990 vond daar een grafschending plaats en werd het stoffelijk overschot van een Jood op een paal gespietst – die gruweldaad werd vrij algemeen toegeschreven aan het Front. Pas zes jaar later werd de identiteit van de daders achterhaald, het bleken jonge neonazi's te zijn geweest. Overigens worden soms ook graven van islamieten geschonden.

Verder is het nogal hachelijk om te doen alsof je het antisemitisme in het huidige Frankrijk zou kunnen kwantificeren. Hoe zou je moeten meten wat de ronde doet op internet, of hoe op scholen antisemitische beledigingen worden geuit, zoals de belediging die jou zo heeft geschokt en die de aanleiding was voor onze gesprekken? Ik denk dat je voorzichtig moet zijn met het trekken van vlotte conclusies over de terugkeer, de toename of de afname van het antisemitisme. Des te meer omdat in een bepaald jaar bijvoorbeeld meer vooroordelen kunnen bestaan en minder geweldsincidenten voorkomen dan in het jaar daarvoor. Hoe zou je dan kunnen zeggen dat het verschijnsel toeneemt of juist afneemt?

Een andere hindernis om de aard en omvang van het

antisemitisme goed in te schatten, wordt gevormd door de excessen die zich in dit verband soms voordoen. Dat blijkt bijvoorbeeld uit de zaak van 'Marie'. In juli 2004 kwam die jonge vrouw met een totaal valse geschiedenis naar buiten. Ze had verteld dat ze met geweld was aangerand door een groepje antisemieten in een treinstel van de RER D spoorlijn. Ze hadden haar kleren opengescheurd en met een viltstift hakenkruisen op haar buik getekend. Dat leverde haar de unanieme steun op van de hele politieke klasse, inclusief de president – totdat aan het licht kwam dat ze het hele verhaal verzonnen had.

Wat zeker is, is dat het antisemitisme vernieuwd is. Tegenwoordig bestaat het uit verschillende elementen die zowel naast elkaar als vermengd met elkaar voorkomen. Er is een oude onderlaag van christelijk anti-judaisme en van klassiek, nationalistisch en extreemrechts antisemitisme, dat zelf tot op zekere hoogte vernieuwd is door het negationisme en de beschuldigingen van *Shoah business*. Daarnaast bestaat een meer links, antikapitalistisch antisemitisme en een nieuw antizionistisch antisemitisme, dat vooral voorkomt onder buitengesloten, overheerste of geminachte bevolkingsgroepen, die hier en daar ook beïnvloed zijn door flarden van extreemlinkse, antikapitalistische en pro-Palestijnse ideologie.

Moeten we ons zorgen maken?

Het is zeker belangrijk om waakzaam te zijn, maar zonder alle landen over één kam te scheren. In de Verenigde

Staten en in Frankrijk, waar de voornaamste Joodse minderheden uit de diaspora in de Westerse wereld leven, brengt Joods-zijn geen ernstige risico's met zich mee. In meerdere Europese landen, in het bijzonder in Hongarije en Roemenië, gaat de opkomst van nationalistisch en populistisch extreemrechts gepaard met een aanzienlijke antisemitische impuls. Het antisemitisme is daar virulent en vooroordelen komen meer voor, maar de risico's op fysieke onveiligheid blijven tot nu toe klein. Sinds de *perestroika* vanaf het midden van de jaren tachtig en het daaropvolgende uiteenvallen van de Sovjet-Unie, hebben Joden op massale schaal Rusland, Oekraïne en Wit-Rusland verlaten. Merendeels zijn ze vertrokken naar Israël, overigens vaker om economische redenen dan vanwege antisemitisme. Joden zijn geëmigreerd uit de meeste Arabische en islamitische landen, of daaruit verdreven, meestal onder invloed van een mengeling van antisemitisme en antizionisme. Antisemitisme bestaat in Latijns-Amerika, het heeft als het ware een internationale wereldreis gemaakt met de terroristische aanslagen in Argentinië die vanuit het Midden-Oosten waren georganiseerd, maar over het algemeen belet dat Joden niet, zich er veilig te voelen.

Drie laatste kwesties

Aan het eind gekomen van onze gesprekken, zijn er nog drie vragen die me op de tong branden. De eerste vraag – en dat blijft voor mij een raadsel – is hoe je kunt verklaren dat gedurende een periode van ten minste tweeduizend jaar de haat, de vijandschap, in alle vormen die je hebt beschreven, heeft kunnen voortbestaan? Hoe komt het dat die haat altijd gericht is geweest tegen de Joden en ook vandaag de dag nog doorgaat, terwijl die compleet absurd en irrationeel is?

Om je de waarheid te zeggen, ik heb mezelf die vraag ook vaak gesteld en ik heb er nooit een werkelijk bevredigend antwoord op kunnen vinden. Mijns inziens is het beste antwoord dat het Joodse volk gedurende de hele geschiedenis tot symbool bij uitstek gemaakt is van het kwaad en het ongeluk. De aanwezigheid van Joden te midden van andere volkeren, waarbinnen ze altijd een minderheid vormden, heeft hen tot een ideale zondebok gemaakt. De Joden zijn anders, maar niet wezenlijk anders. Ze zijn deel van de samenlevingen, maar ze hebben hun eigen religieuze en culturele bindingen, die de plaatselijke en de nationale samenleving overstijgen. Ze staan ook vaak door verwantschapsrelaties of economische betrekkingen in verbinding met grotere netwerken van sociabiliteit en ruil die zich uitstrekken buiten de nationale grenzen. Dat alles maakt ze meer dan andere bevolkingsgroepen kwetsbaar voor beschuldigingen van hun landgenoten dat zij de oorzaak zijn van de tegenslagen die hen treffen. Daarbij komt een traditie die tweeduizend jaar geleden al begonnen is: dat het hun werd aangerekend dat ze geweigerd hebben vertrouwen te stellen in Jezus. Zij konden, meer dan wie anders ook, het brandpunt worden van alle mogelijke beschuldigingen die het idee van de duivelse causaliteit weerspiegelen, waar ik het al met je over had.

Maar zijn de Joden altijd en alleen maar slachtoffers?
Zijn ze niet deels zelf verantwoordelijk voor de haat die
ze oproepen?
Je had me die vraag al in het voorbijgaan gesteld, maar nu komt hij dus rechtstreeks terug. Joden zijn net zoals andere mensen, ze zijn in staat tot het kwade, maar ook tot het goede. Je hoeft het Oude Testament maar te lezen om te beseffen dat ze zich als volk lang niet altijd als engelen gedragen hebben. Of wanneer je kijkt naar Israël als staat kun je zien dat ze geweld kunnen uitoefenen, onrechtvaardig kunnen zijn en zich dominant kunnen gedragen. Maar niets van dat alles kan die haat, die een obsessie wordt, rechtvaardigen. Die geruchten die geen enkele grond in de werkelijkheid hebben. Dat geweld tegen massa's arme mensen die geen andere misdaad

hebben begaan dan te bestaan. Die absurde beschuldigingen dat ze zouden samenzweren om de wereld te overheersen om die vervolgens te gronde te richten. Dat idee dat ze een ras zijn en niet eenvoudigweg een volk of een natie. Een ras dat bovendien nog voorzien zou zijn van speciale kwaadwillende en kwaadaardige krachten. Het antisemitisme is niet uitgevonden door de Joden, die ook geen aandeel hebben in de werking ervan, maar door de mensen die hen willen discrimineren, hen willen verdrijven en hen willen vernietigen, die hen haten om redenen die niets, of bijna niets, te maken hebben met hun werkelijkheid. Dat maakt het ook mogelijk, zoals ik je al vertelde, dat er antisemitisme kan bestaan zonder Joden, dat vormen van kwaad en tegenslag aan hen worden toegedicht, ook al zijn ze er niet.

Mijn laatste vraag zal je misschien verbazen: waarom is het nodig dat alle mensen, Joden en niet-Joden, zich gelijkelijk betrokken voelen? Is het antisemitisme, after all, niet in de eerste plaats een zaak voor de Joden?

Je weet heel goed dat dat niet waar is! Allereerst laat de geschiedenis ons zien dat wanneer de Joden getroffen worden door ernstig geweld, door massale onrechtvaardigheden, ook anderen daardoor getroffen kunnen worden. Hitler en de nazi's gaven in hun racistische waanzin absolute prioriteit aan de Joden. Maar ze hebben ook een genocide aangericht onder de Zigeuners binnen het territorium van het Derde Rijk; ze hebben zich bij het begin van de oorlog vergrepen aan geestelijk gehandicapten; homoseksuelen in Duitsland en in het oosten van Frankrijk dat bij het rijk gevoegd was, zijn geïnterneerd in concentratiekampen; de Slaven werden beschouwd als een minderwaardige bevolking, voorbestemd om slaaf te worden. En ze minachtten en haatten Zwarten.

Maar ik wil je een direct antwoord geven: het antisemitisme gaat iedereen aan. Een maatschappij, die een groep mensen apart zet, die minachting tegenover die groep tolereert, die haat en praktijken van discriminatie, segregatie en geweld ten opzichte van die groep toestaat, is een zieke samenleving, een onrechtvaardige samenleving, niet democratisch, een samenleving die zich verwijdert van humanistische waarden, ook al kan aan de andere kant de schijn gewekt worden dat ze die waarden wil respecteren en bevorderen.

Het antisemitisme is een probleem voor alle democraten en voor alle humanisten, en niet alleen voor Joden. En hetzelfde geldt voor alle andere vormen van racisme.